Les petits Miracles de l'Amour et de l'Amitié

Révision : Nancy Coulombe
Traduction : Suzanne Grenier
Typographie et mise en page : François Doucet
Graphisme de la page couverture : Carl Lemyre
ISBN 2-921892-75-8
Première impression : 2000
Dépôt légal : premier trimestre 2000
Bibliothèque Nationale du Québec
Bibliothèque Nationale du Canada

Éditions AdA Inc.
172, des Censitaires
Varennes, Québec, Canada, J3X 2C5
Téléphone: 450-929-0296
Télécopieur: 450-929-0220
www.ADA-INC.com
INFO@ADA-INC.COM

Diffusion
Canada : Éditions AdA Inc.
Téléphone: 450-929-0296
Télécopieur: 450-929-0220
www.ADA-INC.com
INFO@ADA-INC.COM
France : D.G. Diffusion
6, rue Jeanbernat
31000 Toulouse
Tél : 05-61-62-63-41
Belgique : Rabelais- 22.42.77.40
Suisse : Transat- 23.42.77.40

Imprimé au Canada

Données de catalogage avant publication (Canada)

Mandelbaum, Yitta Halberstam

   Les petits miracles de l'amour et de l'amitié : la chaleur et le dévouement au
   coeur de remarquables coïncidences

   Traduction de : Small miracles of love and friendship.
   Fait suite à : Les petits miracles.
   Comprend des réf. bibliogr.
   ISBN 2-921892-75-8

   1. Miracles - Cas, Études de . 2. Coïncidence - Cas, Études de . I.
   Leventhal, Judith, 1958 -   , II. Titre.

   BL487.M3614 2000   291.2'117   C00-940292-6

Des mêmes auteures :

Les petits Miracles :
Ces extraordinaires coïncidences du quotidien

Les petits Miracles II :
D'extraordinaires coïncidences, des cadeaux pour le cœur

Les petits Miracles de l'Amour et de l'Amitié

*La chaleur et le dévouement
au cœur de remarquables coïncidences*

Yitta Halberstam et Judith Leventhal

*Traduit de l'américain
par Suzanne Grenier*

À Raizy Steg,
Pour célébrer vingt et un ans d'amitié.
Ton amour constant, ton appui inébranlable
et ta gentillesse exceptionnelle au cours de ces années
m'ont nourrie, soutenue et aidée à grandir.
Ton amitié est dans ma vie un miracle,
une grâce de Dieu.

— YHM

Je dédie ce livre à ceux et à celles qui dansent avec moi dans
la ronde de l'amour et de l'amitié ; Jules, mon mari, Arielle et
Shira, mes petites filles, et ma très chère amie Pesi Dinnerstein.

— JFL

Introduction

On raconte cette vieille histoire qui se passe en Alaska. Un habitant robuste et à la peau tannée par les intempéries s'attarde dans un bar d'Anchorage, étirant un verre et puis un autre d'un air morose. Avec de l'acrimonie dans la voix, il annonce au barman qu'il a perdu la foi en Dieu.

« J'ai eu un terrible accident en pleine région sauvage ici même en Alaska », lui confie-t-il. « Mon bimoteur s'est écrasé dans la toundra, à des milliers de kilomètres de la civilisation. Je suis resté coincé dans les débris pendant des heures, en croyant que Dieu trouverait moyen de me venir en aide. J'ai crié son nom, prié en puisant dans les moindres forces qui me restaient, appelé au secours. J'étais sur le point de mourir gelé, et Dieu n'a pas levé le petit doigt pour m'aider. C'en est donc fini pour moi de cette farce, conclut amèrement l'habitant. Ma foi en Dieu s'en est allée. »

Le barman jette à l'homme un regard perplexe. « Mais je ne comprends pas », objecte-t-il. « Vous êtes ici, bien vivant, en train de me raconter cette histoire. De toute évidence vous *avez* été sauvé.

– Ah, ouais, c'est vrai, concède l'habitant. C'est parce que finalement des Esquimaux sont arrivés… »

Ce que nous, les auteures, tentons de réaliser avec nos livres de la série *Les petits Miracles*, c'est un éveil de la conscience à l'égard de l'énergie positive, des merveilleuses rencontres et des événements extraordinaires qui affluent dans la vie de tout un chacun ! Malheureusement, ces expériences sont parfois mal comprises ou même complètement mises de côté.

Certaines personnes, qui font l'erreur de considérer ces expériences comme de pures coïncidences, les balaient du revers de la main en disant qu'il s'agit de « choses qui arrivent », du « hasard » ou d'une « simple chance ». Mais nous disons : les coïncidences n'existent pas, rien n'arrive par accident ! Ces événements ne sont rien de moins, en fait, que de « petits miracles », des moments formidables qui devraient être célébrés et même bénis lorsqu'ils viennent nous frôler avec la douceur des ailes d'un ange.

Ces miracles témoignent de la présence d'une Puissance supérieure dans nos vies en apparence ordinaires ; ces miracles démontrent que nous faisons tous partie d'un organisme plus grand qui nous relie les uns aux autres ; ces miracles révèlent une Main invisible qui constamment nous guide, nous poussant doucement vers notre destinée. Ces miracles nous amènent à croire que notre vie a une finalité, que les événements de notre vie ont une finalité et qu'en tant qu'êtres humains nous avons une finalité sacrée.

Et puis, parmi tous les miracles dont nous avons le privilège d'être témoins au cours de notre vie, il n'y a pas de phénomène qui soit une plus grande source de transformation et de guérison que le tout-puissant miracle de l'amour.

En effet, nous avons tous été captivés par ces histoires rapportées par les médias : des mères soudainement possédées d'une force herculéenne les rendant capables de soulever une voiture pour libérer leur enfant coincé sous une roue ; des amoureux traversant à pied et sans flancher des centaines de kilomètres dans les steppes de Sibérie pour se retrouver ; des parents ne possédant aucune connaissance médicale ou scientifique qui découvrent un remède pour guérir la maladie héréditaire dont souffre leur enfant. Comment de telles choses peuvent-elles se produire ? « La vie n'est pas un problème à résoudre, disait le mythologue Joseph Campbell, mais un mystère dont il faut faire l'expérience. »

L'amour nourrit, réconforte, renforce et soutient. L'amour crée des liens invisibles. L'amour engendre des miracles.

Histoires vécues, les extraordinaires coïncidences rassemblées dans ce troisième volume gravitent autour de différents types d'amour – l'amour entre amis, entre les membres d'une même famille, entre les partenaires d'un couple. Elles montrent à quel point est vraie l'observation, souvent citée, d'Antoine de Saint-Exupéry : « On ne voit bien qu'avec le cœur ; l'essentiel est invisible pour les yeux. »

Un grand maître mystique, le rabbin Nachman de Bratslav, a un jour déclaré :

« Certaines personnes racontent des histoires pour endormir les gens ; moi, je raconte des histoires afin de les réveiller ! » C'est exactement le but et la mission que nous nous sommes donnés en écrivant *Les petits Miracles*. Susciter un éveil de la conscience à l'égard de ces moments magiques et sacrés qui se produisent dans nos vies, de manière à ce que nous puissions les accueillir dans toute leur plénitude, avec un sentiment de gratitude et de respect plus profond. « Ce jour ne se lève que pour ceux qui sont réveillés », a dit Henry David Thoreau. Cueille le jour présent ! Et cueille les « petits miracles » quand ils se présentent !

Puissions-nous tous être gratifiés, avoir des yeux pour voir le soleil se lever, des oreilles pour entendre les douces voix du matin briser le silence de la nuit et un cœur pour s'ouvrir à la nouvelle journée qui commence. Chaque matin apporte un recommencement, la naissance de nouvelles possibilités, la chance de se recréer soi-même. Si nous sommes en harmonie avec l'univers, en accord avec les pulsations cosmiques, les possibilités se multiplient et notre âme se déploie.

Par sa tendre poésie, Rumi, le poète indien, nous conseille avec finesse :

La brise de l'aube a des secrets à te confier.
Ne retourne pas dormir.
Il te faut chercher ce que tu désires vraiment.
Ne retourne pas dormir.
Les gens vont et viennent sur le seuil de la porte,
là où les deux mondes se touchent.
La porte est grande ouverte.
Ne retourne pas dormir.

Note : Les noms suivis d'un astérisque sont des pseudonymes.

*E*lle n'avait que quinze ans et demi quand le photographe du *Chicago Daily News* prit impulsivement son portrait.

C'était l'hiver 1938, et malgré la rigueur du temps et la neige qui couvrait le sol, elle avait décidé avec un groupe d'amies, dans un moment d'impétuosité juvénile, de visiter – entre tous les endroits possibles – le Jardin botanique de Chicago.

S'ébattant dans la neige fondue avec leurs bottes de caoutchouc, le soleil dans les cheveux, elles offraient une image engageante. Le photographe d'un journal se trouvait dans le jardin ce jour-là. Il fut séduit par l'exubérance des jeunes filles, par leur charme et le pur enchantement qu'elles dégageaient. Mais il fut particulièrement captivé par l'une d'entre elles – son visage en forme de cœur, ses grands yeux et son magnifique sourire. Malgré la végétation endormie tout autour d'eux, il réussit on ne sait comment à trouver une fleur encore ouverte, qu'il plaça dans ses mains. Le lendemain, une immense photographie couvrant presque la moitié de la page parut à la une de la section des nouvelles locales.

Harry Allswang, âgé de vingt-deux ans, faisait partie des milliers de personnes qui furent frappées ce jour-là par l'incongruité – et le symbolisme – de cette fascinante photo. Il y avait là, incontestablement, un sursaut de vie annonciateur dans la dormance de l'hiver. Le message du photographe était inspirant pour le regard.

Encore plus réconfortante, toutefois, était la vision de la jeune fille elle-même. Elle était tout simplement ravissante. Le cœur d'Harry cessa un instant de battre alors qu'il examinait le portrait avec intensité, en ne pouvant en détacher les yeux.

J'aimerais certainement la rencontrer, pensa-t-il. *Je me demande bien comment je pourrais la retracer.*

Il était enivré, hypnotisé, complètement séduit par la jeune fille. Il ne pouvait vraiment croire à ce qui lui arrivait, mais on aurait dit qu'il était bel et bien tombé amoureux du visage apparaissant sur la photographie.

Bien des jours après avoir vu le portrait, il se sentait encore hanté par l'idée de partir à la recherche de cette fille. Au bout d'un certain temps, sa détermination toutefois chancela. « Qu'est-ce que tout cela signifie ? » se demandait-il. « Comment puis-je être en amour avec une photographie ? C'est ridicule ! » Bientôt son besoin irrésistible de la retrouver s'estompa, et il cessa de penser à la photo.

Des années plus tard, Harry s'enrôla dans les forces armées américaines et devint instructeur spécialisé dans l'utilisation des fusils-mitrailleurs pour la Division blindée de Fort Know, dans le Kentucky. Il était alors un célibataire de vingt-sept ans, un bon parti, et plusieurs des habitants de Louisville qui accueillaient chez eux les soldats durant les week-ends le présentèrent de bon cœur à des jeunes filles de la communauté. Aucune d'elles ne retint cependant son attention.

En 1945, trois semaines après que la fin de son service militaire l'eut ramené à Chicago, Harry projeta avec un ami de se rendre le dimanche à une soirée dansante pour célibataires. Leur conversation aurait pu sortir tout droit du film *Marty*.

« J'ai entendu dire que l'on dansait à l'hôtel Morrisson, dit Harry. Allons-y !

– Hé, proposa à son tour son ami, pourquoi ne pas aller plutôt au Hilton ? »

Perplexe, Harry plissa le front. « Au Hilton ? répéta-t-il avec surprise. Je ne savais pas qu'il y avait des soirées dansantes à cet endroit. En es-tu bien sûr ?

– Nous irons où tu voudras, Harry, répondit son ami. Cela m'importe peu.

– Moi non plus, admit Harry avec indifférence, je n'ai pas vraiment de préférence… D'accord, conclut-il arbitrairement, ça va pour le Hilton. Je n'y suis jamais allé danser. »

En entrant dans la salle de danse, Harry parcourut du regard les quelques centaines de personnes présentes, à la recherche d'un visage familier. Il n'y en avait aucun, mais son attention se porta immédiatement sur une jeune fille, qui semblait se tenir à l'extérieur de la foule. Un genre d'aura se dégageait d'elle, et elle était magnifique.

« Tu vois cette fille ? murmura Harry à son ami. Je vais lui demander la première danse. »

Mais le temps qu'il traverse la salle pour la rejoindre, il était trop tard. Elle tournoyait dans les bras d'un autre partenaire, arrivé avant lui. Harry était déçu. Il invita une autre fille à danser, mais en gardant les yeux rivés sur la première.

Elle s'appelait Betty. Il réussit à l'approcher à temps pour la deuxième danse, et la troisième, et la quatrième, et la cinquième, et la sixième. En fait, ils dansèrent ensemble toute la soirée, sans jamais changer de partenaires.

À la fin de la soirée, ils savaient tous les deux que ce n'était qu'un « début ».

Ils se sentaient complètement à l'aise l'un avec l'autre, mais il y avait quelque chose de plus. Ils ressentaient une impression de familiarité, de reconnaissance, de complicité. Un sentiment très fort que ce qui arrivait devait arriver. Ils ne pouvaient tout à fait l'expliquer, mais une certaine touche magique les avait effleurés telles les ailes d'un ange.

Au troisième rendez-vous, Harry fit sa demande en mariage. Ce n'est qu'après leurs fiançailles qu'ils découvrirent à quel point leur relation était prédestinée.

Un jour qu'ils se promenaient dans le Jardin botanique de Chicago en s'émerveillant devant la luxuriante végétation, Betty se mit à évoquer des souvenirs.

« Tu sais, il y a environ sept ans, dit-elle avec désinvolture à Harry, j'étais ici même avec mes amies et un photographe du *Chicago Daily News* m'a prise en photo. J'avais à peine quinze ans et demi. C'était au mois de décembre. La photo a paru le lendemain et j'étais tout excitée de me voir à la première page de la section des nouvelles locales. »

Harry se figea. Il se retourna vers sa fiancée et lui demanda lentement, bouleversé : « Sur cette photo… avais-tu des bottes de caoutchouc et une fleur dans la main ? »

C'était maintenant au tour de Betty d'être déconcertée.

« Mais oui, pourquoi ? s'exclama-t-elle. Comment le sais-tu ?

– Ma chérie, répondit-il, je suis tombé amoureux de toi il y a très longtemps... Laisse-moi t'expliquer à quel point nous étions destinés à...»

Et il lui raconta alors les circonstances dans lesquelles leurs destins avaient été pour la première fois liés.

Cinquante-quatre ans plus tard, Harry, quatre-vingt-trois ans, et Betty Allswang, soixante-seize ans, sont encore ensemble, toujours heureux en mariage, prouvant, par les effets du hasard, que parfois la vie est effectivement un conte de fée et que l'expression « ils vécurent toujours heureux » peut être le *début*, et non la fin, de l'histoire.

Commentaire

Comme des aimants, nous sommes attirés par des personnes et par des lieux qui viendront nous compléter d'une manière particulière.

$\mathcal{C}$ette histoire se passe au début des années soixante. Dans une vieille église branlante du nord de l'État de New York, un jeune prêtre idéaliste mène à cette époque un vaillant combat contre le décourageant état de délabrement et l'apparence générale de pauvreté raffinée de son église.

Un matin, le prêtre et son épouse se mettent à la tâche d'inspecter l'intérieur de l'édifice afin d'évaluer les dégâts causés par la violente tempête qui a traversé la ville la nuit précédente. Ils craignent que les fortes rafales n'aient causé de graves dommages. Leur inquiétude se révèle fondée. Sur le plancher, ils découvrent un énorme morceau de plâtre tombé de l'un des murs. L'écroulement a laissé un grand et hideux trou béant.

« Oh non ! » gémit la jeune épouse en examinant avec consternation les dégâts. Les vents déchaînés ont créé un énorme et affreux cratère.

Le jeune prêtre se sent découragé. Comment une telle catastrophe a-t-elle pu survenir ce matin-là, un matin où il sera très difficile, sinon impossible, de trouver un ouvrier capable de réparer promptement les dommages ? Il demande à sa femme qui il pourrait bien appeler. Elle lui rappelle avec douceur que même s'ils trouvent quelqu'un pour faire le travail, les coffres de l'église sont à sec. Comment vont-ils payer ?

Le prêtre soupire et hausse les épaules. « Il nous faut concevoir un autre plan », dit-il.

Plus tard ce jour-là, il assiste à une vente de charité à laquelle il a promis des semaines auparavant de faire acte de présence. Son esprit est occupé par le trou dans le mur, mais il sait que les habitants de la ville s'attendent à le voir.

Au cours des enchères, le commissaire-priseur présente une magnifique nappe de dentelle de couleur or et ivoire, faite à la main. L'article est très beau, accrocheur, mais personne n'en veut à cause de sa trop grande dimension. « Quel genre de table cette nappe pouvait-elle recouvrir de toute façon ? » grogne quelqu'un sur un ton déçu.

Pendant ce temps, un plan créatif est en train de germer dans l'esprit du prêtre. Personne d'autre ne veut de la nappe – alors pourquoi pas lui ? Du regard il mesure le tissus finement ouvragé et en conclut qu'il est exactement de la bonne grandeur. La nappe couvrira à perfection l'affreux trou. Il l'achète pour six dollars et retourne joyeusement à l'église avec son lot.

À l'instant où il va entrer dans l'édifice, il s'immobilise. Il observe une vieille femme qui, frissonnante de froid, attend l'autobus au coin de la rue. Elle paraît traverser une période difficile, et son manteau trop mince semble mal la protéger des vents violents. Il s'approche d'elle et lui demande si elle aimerait se reposer un moment dans l'église pour se réchauffer un peu. Il connaît par cœur l'horaire de cet autobus et sait que le prochain ne passera pas avant une bonne demi-heure.

La femme accepte avec empressement l'offre du prêtre et le suit à l'intérieur de l'église. Tandis qu'il commence à accrocher la nappe au-dessus du trou béant, elle se glisse sur un banc et se repose. Elle promène son regard autour de l'humble église et ses yeux s'agrandissent lorsqu'elle s'attarde au prêtre affairé à la tâche. D'abord clouée sur place par la scène, elle se lève lentement et s'approche du mur où le prêtre est toujours absorbé par sa besogne. Ses yeux se remplissent de larmes.

« Il y a plusieurs années, dit-elle doucement, j'ai possédé une nappe ressemblant beaucoup à celle-ci. Mon mari bien-aimé m'en avait fait cadeau et il y avait mes initiales dans un coin. Lui et cette nappe appartiennent à une époque révolue. Tous les deux ont maintenant disparu et ma vie est tellement vide sans lui. »

Le prêtre murmure sa compassion, frappé par le visage affligé de la femme.

Elle s'approche davantage. « Elle me rappelle tellement mon ancienne nappe », répète-t-elle. « C'est étonnant comme elle lui ressemble. »

Elle avance hypnotisée jusqu'au mur et examine le tissus. Sans dire un mot, elle attire le prêtre à ses côtés. Il y a effectivement des initiales brodées dans un coin.

« *Mes* initiales », dit-elle.

Elle raconte au prêtre qu'elle vivait dans l'opulence à Vienne, en Autriche, avant la Deuxième Guerre mondiale. Pendant la guerre, elle avait perdu toute sa famille et tous ses biens. « J'ignore comment ma nappe s'est retrouvée ici », dit-elle émerveillée. Tout les deux se mettent à spéculer, sans parvenir à aucun scénario plausible. Un de ces petits mystères de la vie, concluent-ils.

Le prêtre demande à la femme, une étrangère, pour quelle raison elle se trouve en ce moment dans le village. Elle lui explique qu'elle habite une ville voisine et qu'elle est venue afin de passer une entrevue pour un emploi de bonne d'enfants. Elle n'a pas obtenu le poste. « Trop vieille, je suppose », ajoute-t-elle avec découragement.

Le prêtre lui demande gentiment si elle désire ravoir la nappe. Bien que l'objet soit un symbole de l'amour de son mari et de la vie luxueuse qu'elle a menée autrefois à Vienne, elle répond qu'il ne lui est plus d'aucune utilité.

« Ma table est maintenant très petite », dit-elle simplement. « Je suis heureuse que ma nappe remplisse ici une fonction aussi importante. Sa beauté rehaussera votre office du soir, j'en suis sûre. Je suis donc heureuse d'en faire don. »

Plus tard ce soir-là, les offices ont lieu et les paroissiens remplissent l'église. Ravis par sa beauté, plusieurs font des commentaires sur la magnifique nappe de dentelle suspendue au mur. Un grand nombre de personnes s'arrêtent pour l'examiner avec curiosité, puis rentrent rapidement chez eux.

Un homme semble particulièrement fasciné, presque hypnotisé par le resplendissant ouvrage. C'est un « habitué », un membre dévoué de la paroisse depuis près de deux décennies, et il connaît bien le jeune prêtre. Il lui donne une tape sur l'épaule et le prêtre, surpris, regarde les yeux de l'homme remplis de larmes.

« Je n'ai jamais revu de nappe de ce genre, murmure-t-il.

– Excusez-moi ? demande le prêtre, déconcerté.

– Il y a des années, avant de vivre ici, poursuit lentement l'homme, je menais une autre vie, complètement différente. J'habitais Vienne avant qu'Hitler ne prenne le pouvoir et, dans le chaos de la guerre, toute ma famille a disparu. Je les ai cherchés ensuite

pendant des années, mais on m'a finalement appris qu'ils étaient tous morts. Je ne pouvais rester seul à Vienne, car il y avait tout simplement trop de souvenirs douloureux et de fantômes. Je suis parti en Amérique et je me suis installé ici. J'ai refait ma vie, mais je ne me suis jamais remarié. Personne ne pouvait remplacer ma chère épouse. Je lui ai donné jadis une nappe qui ressemblait beaucoup à celle-ci – étonnamment semblable. De fait, j'avais fait broder ses initiales dans un coin. »

Sans dire un mot, le prêtre conduit l'homme jusqu'à la nappe. L'homme en examine le coin et son regard s'illumine, avec une lueur d'interrogation stupéfaite.

« Mais c'est la même nappe », s'exclame-t-il. « Ce sont ses initiales... mon épouse bien-aimée ! Comment est-ce possible ? »

Le prêtre pose un bras autour des épaules du vieux paroissien et le guide doucement jusqu'à un banc. Lentement, avec la plus grande délicatesse, il lui parle de la femme qui s'est trouvée dans l'église plus tôt dans la journée. Il se blâme de ne pas avoir noté son adresse, dans une ville voisine, mais heureusement il se souvient du nom des gens qui l'ont reçue en entrevue.

Fébriles, les deux hommes retracent la famille en question, qui par bonheur a conservé sa demande d'emploi.

Le lendemain, l'homme retrouve sa femme. Séparés depuis la Deuxième Guerre mondiale, ils ont été réunis par la nappe de dentelle qui avait jadis orné leur vie et qui maintenant les liait de nouveau l'un à l'autre.

Commentaire
Ce que l'amour réussit à broder, ni le temps ni les revers ne peuvent l'effacer.

$\mathcal{R}$honda Gill resta figée lorsqu'elle entendit sa fille de quatre ans, Desiree, qui sanglotait doucement dans la salle de séjour de leur maison. Elle entra dans la pièce sur la pointe des pieds. La petite fille serrait contre elle une photographie de son père, mort neuf mois plus tôt après une longue maladie. Tandis que Rhonda l'observait, la fillette dessinait délicatement avec ses doigts les contours de son visage. « Papa, disait-elle tendrement, pourquoi est-ce que tu ne reviendras pas ? » Rhonda sentit une vague de désespoir. Il lui avait été suffisamment difficile de composer avec la mort de Ken, mais la douleur de Desiree était plus qu'elle n'en pouvait supporter. *Si seulement je pouvais lui enlever sa souffrance,* pensa Rhonda.

Plutôt que de s'adapter graduellement à la mort de son père, Desiree refusait complètement de l'accepter. « Je sais où est papa », disait-elle à sa mère. « Il est au travail. Il va rentrer bientôt. » Même lorsqu'elle s'amusait avec son téléphone jouet, Desiree faisait comme si elle parlait avec lui : « Tu me manques, papa, lui disait-elle. Quand vas-tu revenir ? »

Sept semaines plus tard, après que Rhonda eut quitté leur maison de Yuba City, en Californie, pour s'installer chez Trish, sa mère, qui vivait à Live Oak, à environ 16 kilomètres, Desiree était encore inconsolable. « Je ne sais plus quoi faire, maman », avoua Rhonda à sa mère.

Un soir, toutes les trois étaient assises dehors à observer les étoiles. « Tu vois celle-là, là-bas, Desiree ? » demanda la grand-mère en montrant du doigt une tache brillante près de l'horizon. « C'est ton papa qui nous éclaire de sa maison dans le ciel. » Plusieurs jours passèrent et, une nuit, Rhonda se réveilla pour découvrir Desiree en pyjama près de la porte. La fillette cherchait en pleurant l'étoile de son père dans le ciel. Rhonda et sa mère l'amenèrent à deux reprises chez un thérapeute pour enfants, mais rien ne semblait y faire.

La grand-mère conduisit Desiree à la tombe de Ken, en espérant que cela l'aiderait à accepter sa mort. Dans le cimetière aménagé en jardin, l'enfant posa sa tête contre la pierre tombale en granit et dit : « Peut-être que si j'écoute assez fort je pourrai entendre papa me parler. »

Au bout d'un moment, Rhonda lui suggéra : « Pourquoi n'écris-tu pas à papa au lieu d'essayer de lui parler ? Tu pourrais lui laisser tes lettres au cimetière. » Desiree aima l'idée et, de retour à la maison, installée sur le plancher du salon, elle se mit à la tâche de faire des dessins. Elle demanda ensuite à sa mère et à sa grand-mère d'écrire pour elle ses messages.

Lorsqu'elles retournèrent visiter la tombe, Desiree glissa ses dessins et ses lettres d'amour parmi les fleurs. La semaine suivante, elle constata cependant que les messages s'y trouvaient toujours. « Il n'a pas eu mes lettres », sanglota-t-elle. Rhonda ne savait vraiment plus à quel saint se vouer.

Puis, un soir, alors que Rhonda bordait l'enfant dans son lit, Desiree annonça : « Je veux mourir, maman. Je veux être avec papa. » *Seigneur, aidez-moi,* supplia Rhonda dans ses prières. *Que puis-je faire de plus ?* Le 8 novembre 1993 aurait été le vingt-neuvième anniversaire de Ken. « Comment je vais lui envoyer une carte de fête ? » demanda Desiree à sa grand-mère.

« Pourquoi ne pas attacher une lettre à un ballon et l'envoyer au ciel à ton papa ? » proposa Trish. Les yeux de Desiree s'éclairèrent.

Avec Trish au volant, et le siège arrière jonché de fleurs en vue de la fête qu'elles allaient célébrer au cimetière, elles s'arrêtèrent d'abord toutes les trois au Safeway de la région. Des douzaines de ballons gonflés à l'hélium se balançaient dans les rayons du supermarché. Desiree prit rapidement sa décision : « Celui-là ! » Le message JOYEUX ANNIVERSAIRE y était inscrit au-dessus d'une image de la Petite Sirène, tirée du film de Disney. Le père et la fille en avaient plusieurs fois regardé ensemble la version vidéo.

C'était une belle journée, et seulement quelques nuages blancs et cotonneux traversaient le ciel. Une brise légère fit onduler les eucalyptus tandis qu'elles disposaient les fleurs d'anniversaire sur la tombe de Ken. Desiree dicta une lettre destinée à son père. « Dis-lui «Bonne Fête. Je t'aime et tu me manques.» », lança-t-elle promptement. « J'espère que tu as un heureux anniversaire au ciel, parce que c'est la première fois que tu le passes avec Jésus. J'espère que tu auras ma lettre et que tu m'écriras pour mon anniversaire en janvier. »

À l'aide d'un stylo à pointe fine, utilisant sa plus petite écriture, Trish inscrivit le message sur un bout de papier ministre puis l'enveloppa dans du plastique. La lettre scellée fut attachée au bout de la corde. Desiree prit le ballon par la note et le lâcha dans les airs.

Pendant près d'une heure, elles regardèrent le ballon, une tache argentée brillant au soleil et qui devenait de plus en plus petite. « C'est bon, Desi, il est temps de rentrer », dit enfin Trish. Elle et Rhonda s'éloignaient lentement de la tombe quand elles entendirent Desiree, qui n'avait pas bougé, crier avec excitation : « Vous avez vu ? J'ai vu papa se pencher pour le ramasser ! » Le ballon, encore visible quelques instants auparavant, avait disparu. « Papa va maintenant me répondre », déclara Desiree avec la plus grande certitude tandis qu'elle les devançait jusqu'à la voiture.

Par un froid et pluvieux matin de novembre, à l'Île-du-Prince-Édouard, Wade MacKinnon, 32 ans, enfilait ses vêtements imperméables en prévision de la journée qu'il prévoyait passer à chasser le canard. Wade, un garde forestier, vivait avec sa femme et ses trois enfants à Mermaid, un village situé à huit kilomètres à l'est de Charlottetown.

À la dernière minute, plutôt que de prendre avec sa camionnette la direction de l'estuaire, où il avait l'habitude de chasser, il décida de se rendre au minuscule lac Mermaid, à trois kilomètres de chez lui.

Laissant derrière lui son véhicule, il traversa un boisé de pins et de sapins dégoulinants pour aboutir bientôt à l'étendue marécageuse envahie de canneberges qui entourait le lac de neuf hectares. Il n'y avait pas de canards en vue, mais dans les buissons, sur la rive, un objet qui bougeait attira le regard de Wade. Curieux, il s'approcha et découvrit un ballon de couleur argent accroché aux branches d'un buisson chargé de baies qui lui arrivait à la cuisse. Sur l'une des faces était imprimé le dessin d'une sirène. Lorsqu'il démêla la corde, il aperçut tout au bout un morceau de papier détrempé, enveloppé dans du plastique.

De retour chez lui, Wade ouvrit l'enveloppe de plastique et retira la note humide, qu'il laissa sécher avant de la déplier. Quand sa femme revint de faire des courses une heure plus tard, il lui dit : « Regarde ça, Donna.» Intriguée, elle lut la note : «Le 8 novembre 1993. Bonne Fête, papa…» Le message se terminait par une adresse postale à Live Oak, en Californie.

« Nous ne sommes que le 12 novembre », s'exclama Wade. « Ce ballon a franchi presque 5 000 kilomètres en quatre jours !

– Et regarde, dit Donna, en retournant le ballon. C'est un ballon de la Petite Sirène, et il s'est posé au lac Mermaid[1].

– Nous devons écrire à Desiree, lança Wade. Peut-être que nous avons été choisis pour aider cette petite fille.» En regardant sa femme, il se rendit compte qu'elle éprouvait d'autres sentiments. Donna avait les larmes aux yeux et s'éloignait du ballon. « Une si jeune enfant qui doit composer avec la mort. C'est horrible.»

Wade laissa la poussière retomber. Il mit la note dans un tiroir et attacha le ballon, qui flottait encore, à la rampe du balcon de la salle de séjour. Le simple fait de voir le ballon rendait toutefois Donna mal à l'aise. Quelques jours plus tard, elle le fourra dans un placard.

Les semaines passèrent, et elle pensait de plus en plus au ballon. Il avait traversé les Rocheuses et les Grands Lacs. Un peu plus et il aurait abouti dans l'océan. Mais il s'était arrêté ici, à Mermaid. *Nos enfants ont tellement de chance*, pensa-t-elle. *Ils ont deux parents en bonne santé.* Elle tenta d'imaginer comment se sentirait Hailey, leur fille de deux ans, si Wade venait à mourir.

Le lendemain matin, au moment où Wade s'apprêtait à partir travailler, Donna lui dit : « Tu as raison. Si ce ballon est arrivé jusqu'à nous, c'est pour une raison. Je ne sais pas laquelle, mais nous devons essayer d'aider Desiree.»

Donna MacKinnon se rendit dans une librairie de Charlottetown et acheta un exemplaire de *La Petite Sirène*. Quelques jours plus tard, juste après Noël, Wade revint à la maison avec une carte de fête. Il y était écrit : « Pour ma chère fille, des vœux d'anniversaire remplis d'amour. »

« Ça me paraît étrange de lui envoyer cette carte », réfléchit Donna à voix haute. « Ce n'est pas nous mais son père qui lui envoie ce cadeau », insista Wade. « Nous faisons cela pour lui. » Après en avoir reparlé pendant quelques jours, Donna s'assit un matin pour écrire à la fillette. Quand elle eut terminé, elle glissa la lettre dans la carte de vœux, ajouta le livre, et apporta le colis au bureau de poste. C'était le 3 janvier 1994.

Le cinquième anniversaire de Desiree Gill se déroula dans une ambiance tranquille et fut souligné le 9 janvier par une petite fête. Chaque jour depuis qu'elles avaient lâché le ballon dans le ciel, Desiree avait demandé à Rhonda : « Crois-tu que papa a déjà reçu mon ballon ? » Après sa fête d'anniversaire, elle cessa de poser la question.

Le 19 janvier, en fin d'après-midi, Wayne, le compagnon de Trish, s'arrêta au bureau de poste en rentrant du travail. « Il y a un colis pour Desi », dit-il à Trish en exhibant une enveloppe carrée en papier kraft. Occupée à préparer le dîner, Trish jeta un coup d'œil à l'adresse de retour. Elle ne reconnut pas le nom et supposa qu'il s'agissait d'un cadeau d'anniversaire qu'un membre de la famille de Ken qu'elle ne connaissait pas envoyait à Desiree. Comme Rhonda et Desiree étaient retournées vivre à Yuba City, Trish décida de livrer elle-même l'enveloppe le lendemain.

Pendant la soirée, tandis qu'elle regardait la télévision, la fameuse enveloppe commença à la turlupiner. Pourquoi quelqu'un aurait-il fait parvenir à son adresse un colis destiné à Desi ? Elle ouvrit le paquet et découvrit la carte, qu'elle retira de l'enveloppe. « Pour ma chère fille… » Son cœur se mit à battre très fort. *Seigneur Dieu !* pensa-t-elle, et elle bondit sur le téléphone. Il était passé minuit, mais il fallait qu'elle le dise à Rhonda.

À 6 h 45 le matin suivant, quand Trish pénétra dans l'allée menant à la maison de Rhonda, sa fille et sa petite-fille étaient déjà réveillées.

Rhonda et Trish installèrent Desiree entre elles sur le sofa, et Trish lui expliqua : « C'est de la part de ton papa ».

– Je sais, répondit Desiree le plus naturellement du monde. Grand-maman, lis-moi ce qui est écrit.

– «Joyeux anniversaire de la part de ton papa», commença Trish. «Je suppose que tu te demandes qui nous sommes. Eh bien, tout a commencé au mois de novembre, quand Wade, mon mari, est allé à la chasse aux canards. Devine ce qu'il a trouvé ? Le ballon avec la petite sirène que tu as envoyé à ton papa.»»Trish fit une pause. Une petite larme commençait à couler sur la joue de Desiree.

«Il n'y a pas de magasins au ciel, et c'est pourquoi ton papa a voulu que nous fassions les achats pour lui. Je crois qu'il nous a choisis parce que nous vivons dans une ville qui s'appelle Mermaid.»»

Trish continua sa lecture : « «Ton papa voudrait que tu sois heureuse et que tu cesses d'être triste. Il t'aime très fort et veillera toujours sur toi. Avec plein d'amour, les MacKinnon.»»

Quand Trish eut fini de lire, elle regarda Desiree. « Je savais que papa trouverait le moyen de ne pas m'oublier », dit l'enfant. Elle retira le livre *La Petite Sirène* de l'enveloppe.

Essuyant ses larmes, Trish posa son bras autour de Desiree et se mit à lui faire la lecture. L'histoire était différente de celle que Ken avait si souvent lue à l'enfant. Dans cette version, la Petite Sirène vit heureuse jusqu'à la fin des temps avec son beau prince. Dans le livre envoyé par les MacKinnon, la Petite Sirène meurt parce qu'une vilaine sorcière lui a pris sa queue.

En terminant la lecture, Trish craignit que la fin n'eût attristé sa petite-fille. Mais Desiree porta les mains à ses joues d'un air réjoui. « Elle va au ciel ! » s'écria-t-elle. « C'est pour ça que papa m'a envoyé ce livre. Parce que la Petite Sirène va au ciel comme lui ! »

Au milieu du mois de février, les MacKinnon reçurent une lettre de Rhonda : « Le 19 janvier, mes prières ont été exaucées et le rêve de ma petite fille s'est réalisé quand elle a reçu votre colis », écrivait-elle.

Au cours des semaines suivantes, les MacKinnon et les Gill se téléphonèrent à plusieurs reprises. Puis, au mois de mars, Rhonda,

Trish et Desiree prirent l'avion pour l'Île-du-Prince-Édouard afin de rencontrer les MacKinnon. La neige couvrait encore le sol quand Wade et ses visiteuses californiennes traversèrent la forêt pour voir l'endroit près du lac où il avait trouvé le ballon.

Chaque fois qu'elle veut parler de son père, Desiree appelle les MacKinnon. Quelques minutes au téléphone réussissent à l'apaiser mieux que tout autre chose.

Des gens me disent «Quelle coïncidence que votre ballon de la Petite Sirène se soit posé si loin à un endroit appelé lac Mermaid» raconte aujourd'hui Rhonda. « Mais nous savons que Ken a choisi les MacKinnon dans le but de continuer d'envoyer son amour à Desiree. Elle comprend maintenant où son père est allé. Elle sait qu'il est toujours avec elle. »

– Margo Pheiff

¹ NDT. Mermaid : sirène.

*J*ai grandi dans les quartiers pauvres, plus précisément dans les rudes rues new-yorkaises d'un mauvais coin du Queens. Mes parents étaient très sévères avec moi lorsque j'étais petite, et il m'était pratiquement interdit d'explorer les environs immédiats de l'endroit où j'habitais. Mes frontières étaient bien définies: j'étais ou bien à l'école, ou bien à la maison. Je me hasardais rarement dehors. Les occasions de me faire des amis étaient donc extrêmement limitées.

Peut-être mes parents s'étaient-ils assouplis avec le temps, peut-être aussi le voisinage avait-il changé. Je n'en ai vraiment aucun souvenir. Mais quand j'eus 12 ans, mes parents commencèrent à me permettre de descendre m'amuser avec les enfants du quartier. C'est cet été-là que je rencontrai un garçon appelé Manny.

Manny passait son temps à jouer à un jeu appelé « la barrique » avec les autres enfants du coin. Le jeu ressemblait au base-ball, mais on n'utilisait pas de batte. À la place, on faisait bondir un ballon sur la barrique. *Cela semble vraiment amusant,* pensais-je en les observant tristement de l'extérieur. Manny – avec qui je n'avais pas encore fait connaissance – dut remarquer mon regard envieux, car il s'approcha soudainement de moi et m'invita à prendre part au jeu. Il fut le seul parmi le groupe d'enfants à le faire, et jamais je n'ai oublié sa gentillesse. À partir de ce jour, nous passâmes tous nos après-midi ensemble, à jouer, à nous raconter des histoires et à partager nos secrets les plus intimes. Mettant l'un et l'autre notre âme à nu, nous créâmes un lien profond. Cet été-là, Manny devint mon meilleur ami.

Quand les classes reprirent en septembre, mes parents en revinrent à leurs règles sévères. Ils insistaient pour que je me concentre sur mes travaux scolaires et renonce à toute activité de loisir. Je n'avais pas la permission de jouer dehors pendant la semaine. Cependant, ils ne purent empêcher l'indomptable Manny de venir me voir. Il grimpait par l'escalier de secours et, après avoir verrouillé ma porte, j'allais le rejoindre de l'autre côté de la fenêtre (mes parents m'interdisaient de descendre devant la maison, mais ils n'avaient jamais fait mention de l'escalier de secours !). Nous restions assis pendant des heures dans l'escalier, simplement à jaser. Que c'était bon d'avoir ce genre d'ami ! Je l'aimais vraiment, même si je ne le savais pas encore.

Un jour, Manny et moi avons eu une grosse dispute et je suis partie, refusant de lui parler. J'étais obstinée et très orgueilleuse : je refusais de répondre à ses appels téléphoniques et j'ignorais ses supplications lorsque de la rue il criait mon nom de manière implorante. Une semaine après notre altercation, la paix n'avait toujours pas été déclarée et, encore une fois, Manny vint courageusement se placer sous ma fenêtre et m'appela. Il pleuvait beaucoup, en fait à torrents, ce jour-là, mais Manny n'en faisait aucun cas. Tenace et sans orgueil, il restait sous la pluie à crier mon nom, encore et encore, déterminé à régler notre différend une fois pour toutes. Son cœur était bien disposé, mais pas le mien. Je me montrai dure et inflexible. Bref, je ne bougeai pas d'un poil.

Enfin, en désespoir de cause, Manny me cria: « Sheila, ma famille déménage... nous quittons l'immeuble. » Je ne le crus pas un instant. J'étais certaine que c'était une ruse désespérée pour m'obliger à lui parler. Comment pouvait-il soudainement déménager alors qu'il ne m'en avait jamais glissé un mot au cours de nos conversations ? *Bel essai, mon ami,* me dis-je en moi-même tout en faisant claquer la fenêtre.

J'étais complètement, absolument et irrévocablement dans l'erreur. Quand je finis par surmonter mon orgueil entêté et voulus aller le retrouver, je découvris qu'il avait dit vrai. Manny et sa famille étaient partis. Personne ne savait où ils se trouvaient ; personne n'avait leur numéro de téléphone. C'était comme s'ils s'étaient évaporés sans laisser de trace.

Je ne pouvais croire ce que j'avais fait : j'avais laissé mon meilleur ami s'en aller sans même lui dire au revoir. Je ne me suis jamais pardonné mon obstination, mon orgueil stupide. *Comment ai-je pu laisser une telle chose m'arriver... nous arriver ?* Je me sentis coupable pendant des années. Je priai pour avoir l'occasion d'arranger les choses... une seconde chance qui me permettrait de lui dire au moins au revoir et de le remercier d'avoir été l'ami dont j'avais besoin pendant les années les plus difficiles de ma vie.

Dix ans plus tard, j'étais mariée et habitais la Floride – loin du Queens, mon coin d'origine. J'occupais un poste administratif, comme représentante régionale au sein d'une compagnie d'assurance vie. Plusieurs aspects de ma tâche exigeaient l'utilisation de l'ordinateur qui était installé sur mon bureau.

Un jour, je fus prise de l'impulsion soudaine de m'inscrire à America Online. Les personnes qui utilisent ce service savent que l'on s'y abonne sous un nom d'utilisateur, et non sous son vrai nom. Je m'inscrivis donc sous mon nom d'utilisateur et entrai sur le site de discussion de la ville de New York. Je demandai à tout hasard si quelqu'un parmi les personnes présentes venait du Queens. « Je suis du Queens », répondit quelqu'un. J'avais donc trouvé une personne avec qui converser.

« De quelle partie du Queens êtes-vous ? demandai-je.

– D'Astoria, répondit la personne.

– Quelle coïncidence ! Je suis aussi d'Astoria, répliquai-je tout excitée. Quel est votre nom ? demandai-je.

– Manny », répondit la personne.

À l'instant même, je fus enveloppée du doux souvenir de l'ami que j'avais eu mais tristement perdu.

« Oh, j'ai déjà connu un Manny », écrivis-je en me rappelant tous ces moments idylliques passés dans l'escalier de secours. « En passant, je m'appelle Sheila. »

Il y eut une longue pause... Je me demandai si l'homme s'était débranché sans m'avertir... mais un message finit par apparaître à l'écran.

« J'ai déjà connu une Sheila, avait-il écrit. Dans quel immeuble habitiez-vous ? »

Mon cœur fit un bond. Ce doit être lui !

Ne pouvant me retenir plus longtemps, j'écrivis: « Votre nom ne serait-il pas par hasard Manny Rivera ?

– OOOHHHMMOOONDIEUUUU ! ! ! » m'écrivit-il en retour dans son message.

Je ne pouvais croire malgré tout que ce fût lui. *Sans doute un jeune qui s'amuse à mes dépens,* pensai-je. « Cessez de vous moquer de moi ! écrivis-je. Vous êtes en train de jouer avec mes émotions, là ! réprimandai-je avec colère.

Ignorant mon message, il continua: « Sheila, est-ce vraiment toi ? Tu m'as tellement manqué !»

Irritée, je me contentai alors de lui répondre: « Prouvez-moi que vous êtes celui que vous prétendez être.

– As-tu toujours un escalier de secours ?» répondit-il simplement.

J'étais tellement bouleversée que je fis accidentellement tomber le modem, ce qui eut comme effet de me débrancher.

Par bonheur, nous nous rappelions tous les deux nos noms d'utilisateur et nous réussîmes à nous retracer. Nous nous racontâmes comment nos vies avaient pris des chemins différents depuis notre enfance et comment nos destins respectifs s'étaient réalisés. Il me dit qu'il était sincèrement heureux de savoir que j'avais échappé à notre quartier miteux et que je vivais maintenant en Floride. Quant à lui, il vivait toujours dans le Queens. Au cours des ans, nous avions traversé différents parcours qui bien sûr nous avaient changés, mais nos souvenirs d'enfance faisaient de nous des amis pour toujours.

J'en suis encore ébahie. Dix ans plus tard... à 1 900 kilomètres de distance... parmi les millions de personnes de toutes les parties du monde qui sont en ligne... sous des noms d'utilisateur fictifs... Notre rencontre était un vrai miracle. Je pouvais maintenant terminer ce chapitre de ma vie. Ma culpabilité avait disparu et ma prière était exaucée.

J'avais eu la chance de m'excuser, de le remercier et de lui dire au revoir.

– Sheila MacDonald

Commentaire
Notre désir sincère de corriger nos erreurs peut nous rendre
capables d'escalader des montagnes, de traverser des océans et, en
cette époque contemporaine, de créer des miracles... au moyen de
l'ordinateur.

*D*e nos jours, on réussit à faire disparaître une tache de naissance sur le visage d'une personne grâce aux traitements par rayons laser. Cependant, il y a plusieurs années, il n'y avait pas grand chose à faire lorsqu'un bébé naissait avec ce genre de marque. L'ancien protocole médical consistait à conseiller gentiment aux parents angoissés de « ne pas y toucher ». Ironiquement, les « taches de vin », comme on les appelle communément, apparaissent plus fréquemment chez les femmes que chez les hommes, créant des ravages psychologiques beaucoup plus grands du fait qu'elles touchent le groupe sexuel qui accorde une place prépondérante à l'apparence.

Kelly Johnson[2] était un bébé d'une extraordinaire beauté, exception faite d'un défaut : une grande tache cramoisie qui s'étendait sur le côté gauche de son visage. En un sens, elle avait de la chance: la tache de vin commençait juste en dessous de l'œil et descendait jusqu'en haut de sa lèvre supérieure. Si la tache avait débordé au-delà de l'œil, cela aurait entraîné de graves problèmes de santé, tels que le glaucome ou même des malformations au cerveau. Si elle avait couvert sa lèvre, celle-ci aurait été enflée, déformée. De ce point de vue, elle avait de la chance. Mes ses parents la regardèrent avec horreur quand elle leur fut amenée dans la salle d'accouchement.

Kelly était dotée d'un tempérament enjoué, et ses parents firent de leur mieux pour l'aider à mener une vie normale et active. Grâce à sa personnalité exceptionnellement ouverte, elle n'eut aucune difficulté à se faire des amies. Une fois passé le choc initial, celles-ci semblaient oublier la tache qui la défigurait. Kelly s'adaptait bien et elle était populaire.

Tout changea lorsqu'elle entra au collège, car c'est à ce moment qu'elle découvrit les GARÇONS.

Les garçons, malheureusement, ne manifestèrent pas la même clémence ou la même indulgence que les compagnes féminines de Kelly. Ils l'acceptaient à coup sûr comme une camarade, une amie, une bonne copine, mais pas comme petite amie. Sa tache de vin était à leurs yeux trop prononcée pour qu'ils l'ignorent.

Dès le début, les médecins de Kelly avaient parlé à ses parents du Covermark et du Dermablend, les premiers camouflages cosmétiques utilisés pour recouvrir les taches de vin. En certaines occasions spéciales, la mère de Kelly avait essayé d'appliquer le produit sur son visage, mais Kelly en détestait la texture : cela ressemblait à une farine pâteuse. Même encore enfant, elle refusait en outre de dissimuler son problème. « Ou bien ils m'aimeront comme je suis, ou bien ils ne m'aimeront pas », s'obstinait-elle à dire. Ses amies l'*avaient* aimée comme elle était, mais les garçons, c'était une tout autre histoire.

La personnalité rayonnante de Kelly s'assombrissait un peu plus avec chaque nouveau rejet. Ses amies commençaient à se murmurer des secrets à propos de leurs rendez-vous avec des garçons. Elle n'avait pas de confidences de ce genre à partager.

Avec le temps, Kelly se résolut à tirer le meilleur parti de sa situation. Elle se concentra sur ses travaux scolaires et devint une élève brillante. Elle travailla comme bénévole dans des hôpitaux et des refuges pour sans-abri, et elle était partout aimée et appréciée. Elle développa un sens de l'humour aiguisé, qui lui permettait de cacher sa souffrance et l'amertume qu'elle ressentait parfois... car, après tout, elle était humaine.

Kelly obtint son diplôme d'études secondaires, puis entra à l'université. Elle avait vu ses anciennes camarades de classe une à une se marier. Comme il commençait à lui être difficile de demeurer dans sa ville natale, elle déménagea à New York, où plusieurs possibilités s'offraient à elle. Elle y trouva un emploi stimulant et, grâce à une agence, elle se dénicha un charmant appartement et fit la connaissance de Sue, une colocataire accommodante. Tout allait mieux... sauf sa vie sociale.

Par contraste, sa colocataire menait une vie trépidante – le téléphone ne cessait de sonner, on venait la voir et les sorties ne manquaient pas. Kelly restait toujours enfermée dans sa chambre quand un homme venait chercher son amie pour un rendez-vous. Sous son extérieur enjoué, elle souffrait et se sentait écorchée.

« Viens, tu pourras connaître Joe », lui conseillait vivement Sue, « ou Stony... ou Jimmy... ou... (c'était chaque soir une personne différente). » Mais elle s'en sentait incapable. Elle repoussa ainsi toutes les tentatives de Sue pour lui faire rencontrer quelqu'un. « Peut-être qu'il a un ami pour toi ! » insistait Sue. Mais Kelly savait à quoi s'en tenir. La première question que poserait ledit ami serait « De quoi elle a l'air ? C'est une belle fille ? ». Kelly ne fit donc la connaissance d'aucun des nombreux prétendants de Kelly, lesquels allaient et venaient dans un continuel et apparemment interminable défilé.

Un soir, Sue fit irruption dans l'appartement, hors d'haleine.

« Oh, mon dieu », cria-t-elle à Kelly en franchissant la porte. « Je suis en retard comme *jamais*. J'ai eu une réunion interminable avec mon patron et je ne pouvais tout de même pas me lever et lui dire «Au revoir, j'ai un rendez-vous ce soir». Qu'est-ce que je vais faire maintenant. Le type arrive dans dix minutes ! Prendre ma douche, me maquiller, m'habiller... je n'aurai jamais fini à temps. Kelly, si on sonne à la porte, pourrais-tu s'il te plaît répondre ? » Sur ces mots, Sue courut sous la douche.

« M... mais... », tenta de protester Kelly. « Tu sais bien que cela me met mal à l'aise de rencontrer les hommes avec qui tu sors, Sue ! », cria-t-elle en direction de la porte de la salle de bain.

« Peut-être qu'il sera en retard ! lui répondit de loin Sue, pour la rassurer.

– Mais s'il est à l'heure ? demanda Kelly, affligée.

– Kelly, tu n'as pas le choix, tu dois me donner un coup de main, cria Sue.

– Au fait, de *qui* s'agit-il ? s'enquit Kelly.

– C'est un rendez-vous arrangé, avec quelqu'un que je ne connais pas ! » dit Sue.

À cet instant, on sonna à la porte. « Eh bien, tu seras heureuse d'apprendre qu'il est ponctuel, dit Kelly avec un air piteux.

– Allez, Kelly, donne-moi un petit coup de main, supplia Sue. Essaie de le distraire, d'accord ?

– Ouais, c'est ça ! » dit Kelly en se dirigeant à contrecœur vers la porte.

Il va paniquer en apercevant mon visage quand je vais répondre. Il croira que je suis Sue. Il n'y aura qu'à voir son sourire se figer quand j'ouvrirai la porte, pensa-t-elle, mortifiée.

Son sourire ne se figea pas. Il resta tout aussi chaleureux même quand son regard se posa sur le visage de Kelly.

« Salut... Je ne suis pas Sue, je suis Kelly, sa colocataire », lança-t-elle immédiatement afin qu'il ne s'enfuie pas. « Sue est arrivée un petit peu tard, elle m'a donc demandé de l'excuser et de vous tenir compagnie pendant qu'elle se prépare. Puis-je vous offrir un verre ou quelque chose ? »

Sue a décidé de prendre tout son temps, pensa Kelly vingt minutes plus tard, ennuyée. *Ce n'est pas juste vis-à-vis de moi, elle n'a pas à me mettre dans une telle situation. J'aime parler avec lui, il me plaît, et je suis en train de prendre conscience des choses à côté desquelles je suis passée pendant toutes ces années. C'est plus facile de **fuir** les hommes qu'elle fréquente que de les **rencontrer**. Je ne lui rendrai plus ce genre de service, plus jamais !*

« Salut, Keith, désolée de t'avoir fait attendre », dit Sue en pénétrant finalement dans la pièce. Kelly s'attendait à ce que son visage s'illumine devant la beauté de Sue. Il n'en fut rien. *C'est le signal pour que je quitte la scène,* pensa-t-elle avec une ironie désabusée.

« Eh bien, tu es maintenant entre bonnes mains, Keith », dit-elle d'un ton léger en se levant pour s'en aller. « Amusez-vous bien, les copains.

– Hé, lui dit-il, j'ai eu vraiment beaucoup de plaisir à parler avec toi !

– Oh, moi aussi », dit-elle poliment. Et elle tourna les talons, le cœur gros.

Le lendemain soir, alors que Sue n'était pas encore revenue du travail, le téléphone sonna. C'était Keith. *Je suppose que la rencontre a été un succès,* pensa Kelly quand elle entendit sa voix. Comme elle commençait à travailler une heure plus tôt, elle n'avait pas croisé Sue le matin en se levant.

« Salut, dit-elle quand elle reconnut sa voix. Je suis désolée, mais Sue n'est pas encore rentrée.

– Ce n'est pas grave, dit-il calmement. Ce n'est pas à Sue que je veux parler.

– Par... pardon ? demanda-t-elle, troublée.

– J'appelle pour te parler à *toi*, Kelly.

– À moi ? Je ne comprends pas... Oh, tu as quelque chose à me demander au sujet de Sue ? Pas de problème, vas-y !

– Non, Kelly, dit-il doucement. Je ne veux pas te parler de Sue. Je veux te parler de Kelly.

– Je... je ne comprends pas, dit-elle.

– Kelly, ce n'est pas une trahison, n'est-ce pas, si un homme a un rendez-vous arrangé avec une femme qu'il ne connaît pas mais se rend compte qu'il préfère sa colocataire ?

– Je ne suis pas sûre de comprendre, dit-elle en commençant à s'éveiller au sens de ses propos et en espérant contre toute attente qu'elle n'avait pas mal entendu.

– C'est *toi* que j'aime, Kelly, dit-il, pas Sue.

– Mais tu n'as pas vu ma tache de vin ? balbutia-t-elle.

– Oui, je l'ai vue, répondit-il franchement. Mais j'ai aussi vu ta gentillesse, ta bonté, ta personnalité pétillante, ton intelligence aiguisée, ton esprit. Et toutes ces choses rendent ta tache de vin plutôt insignifiante à mes yeux... Que dirais-tu alors de sortir avec moi ? » demanda-t-il.

Trente ans plus tard, Kelly et Keith ont maintenant cinq enfants, quatre petits-enfants et forment un couple très heureux.

À une certaine époque, au cours de leur mariage, la communauté médicale a commencé à traiter les taches de vin à l'aide de rayons laser, et celle de Kelly fut enlevée avec succès.

Mais elle garde toujours en mémoire, avec gratitude et affection, que ce qui a d'abord attiré Keith n'était pas son apparence extérieure.

C'était la beauté de son âme.

[2] Un pseudonyme.

*C*ela se passait en Pologne dans les années trente – ces années de tension qui précédèrent la guerre – et les relations entre les juifs et les non juifs étaient déjà tendues.

Mais mon père – alors âgé de cinq ans et déjà iconoclaste – refusait de s'abandonner à la peur et au climat de méfiance qui commençait à envelopper la ville où il habitait. Même à cinq ans, c'était un libre penseur et une personne authentiquement aimante. Il continua donc d'être ami avec des enfants non juifs, malgré les humeurs de l'époque.

Il y avait un jeune garçon en particulier avec lequel mon père s'était fait ami et, comme le font tous les jeunes enfants, ils échangeaient des choses entre eux. Des jouets, des timbres étrangers, des histoires, des blagues. Un jour, dans un geste œcuménique peu commun, ils s'amusèrent à échanger... des prières.

« Tu m'enseignes une prière juive et je t'enseigne une prière chrétienne », proposa un jour le gamin polonais. Dans leur adorable et confiante innocence, tous les deux crurent que cela allait être amusant. Ils ne savaient pas à quel point leurs parents respectifs auraient été horrifiés en apprenant le projet de leur enfant.

Leurs répertoires étaient, on peut le comprendre, limités. Les deux enfants choisirent donc des prières importantes, les pierres angulaires de leurs fois respectives.

« Apprenons-les par cœur ! » s'exclama le garçon polonais.

C'est ce qu'ils firent.

Dix années passèrent, et tout changea.

La majorité des juifs du *shtetl* avaient à cette époque été transportés vers des ghettos ou des camps de concentration, s'ils n'étaient pas morts depuis longtemps.

Mon père, qui avait alors quinze ans et était devenu orphelin, fuyait l'Europe, sous l'identité d'un non juif, aidé en cela par ses traits germaniques et de faux documents. Jusque là, il avait réussi à échapper aux nazis.

Un jour, il était dans un train quand un soldat nazi monta à bord et demanda à voir les papiers de toutes les personnes présentes. Il examinait chacun des documents avec grande attention et semblait satisfait. Il s'approcha alors de mon père. Celui-ci lui tendit ses faux documents, qui avaient toujours été jugés acceptables. Mais pour une raison quelconque, ce soldat nazi se montra suspicieux. Il inspecta à plusieurs reprises les documents et regarda mon père en plissant des yeux sceptiques. À l'intérieur de lui, mon père tremblait atrocement. Il était convaincu que le nazi avait vu en lui l'imposteur et qu'il serait bientôt exécuté.

Finalement, le nazi se tourna vers lui et, avec un sourire dédaigneux, lui dit: « Ainsi, mon ami, on se dit chrétien ? Eh bien, juste pour prouver que vous êtes celui que vous prétendez, pourquoi ne réciteriez-vous pas – sur le champ et devant tout le monde – l'une des prières chrétiennes que connaît tout bon chrétien !»

Le soldat jubilait, prêt à bondir sur sa proie à découvert.

Mais quelque part à l'intérieur de mon père, un souvenir enterré depuis longtemps refit surface. Il se plia ainsi aux désirs du soldat et récita la prière à la perfection. Le soldat, surpris, le relâcha. Il ne sut jamais que la prière chrétienne qu'il avait exigée de mon père était la seule que celui-ci connaissait.

La prière que le soldat avait demandé à mon père de réciter était en effet la même prière que son petit ami chrétien lui avait enseignée dix ans auparavant, en insistant pour qu'il la mémorise.

Et mon père, qui avait une excellente mémoire, n'en avait pas oublié un mot.

Mon père continua de fuir en traversant l'Europe et prit un bateau qui l'emmena en Palestine. Il survécut à la guerre et refit sa vie. Et parmi les legs durables qu'il donna à ses enfants, il leur apprit à respecter tous les êtres humains, peu importe leur race, leur religion ou leurs croyances.

Après tout, c'était l'amitié d'un jeune enfant chrétien qui lui avait sauvé la vie.

– *Yitta Halberstam*

Commentaire

Quand des amis partagent leurs trésors les plus précieux, l'univers réagit en offrant l'un des siens.

$\mathcal{C}$ela faisait plus de vingt ans que John Borgese n'avait pas vu son père, Pasquele, qui vivait toujours en Italie, à Amalfi, le pittoresque village de pêcheurs où il était né. En 1966, John avait émigré en Amérique avec Aurora, sa jeune épouse, et s'était établi à Glendale, dans le Queens, où ils ouvrirent un petit commerce. Travaillant dur pour rester à flot, John pensait souvent à retourner en Italie pour rendre visite à son vieux père, mais il n'avait absolument pas les moyens de s'offrir le billet. « Ton père commence à se faire vieux, tu ne devrais pas attendre ! » lui rappelait fréquemment Aurora, son épouse. « Tu remets toujours le voyage à plus tard et tu finiras par le regretter ! » l'avertissait-elle.

Au cours de l'été 1986, un proche des Borgese fit parvenir à John une vidéocassette de son père, Pasquele. John fut bouleversé de voir à quel point celui-ci, alors âgé de 90 ans, paraissait maigre, pâle et amoindri. Quand se termina le vidéo, Aurora resta silencieuse mais, de l'autre bout de la pièce, jeta à John un regard lourd de sens.

« Tu as raison ! » soupira-t-il. « Je vais emprunter l'argent s'il le faut, mais je veux que tu m'accompagnes. Que dirais-tu de la période des Fêtes ? Nous pourrions ainsi passer les vacances de Noël ensemble. » Aurora marqua son accord d'un signe de tête. « Je vais réserver les billets dès aujourd'hui. Peut-être qu'en réservant très tôt nous obtiendrons en plus un bon prix », dit John. Il appela donc un ami qui était agent de voyage et fit les réservations pour un séjour de trois semaines.

« Je veux quitter New York le 20 décembre et revenir le 10 janvier, d'accord ? » lui signifia-t-il. « De cette façon, nous pourrons passer Noël, le Nouvel An et le jour des Rois avec papa », murmura-t-il à Aurora tandis que l'agent le mettait en attente. « Mais il faudra que nous fermions le commerce », ajouta-t-il, y pensant après coup.

« Tu ne vas pas changer d'idée ! admonesta Aurora.

– Nous allons perdre beaucoup d'argent, Aurora.

– John, répliqua-t-elle avec fermeté, c'est maintenant ou jamais !» Six mois plus tard, il étaient tous deux à Amalfi et, pour John en particulier, ce fut un voyage semé de découvertes et chargé d'émotions. Il passa chaque journée en compagnie de son père souffrant, à évoquer le passé, à panser de vieilles blessures et à poser sur l'histoire de sa famille des questions qu'il n'avait jamais osé poser avant. Il interrogea son père au sujet de ses ancêtres et de sa descendance, jusqu'à amener son père à esquisser ce qui pouvait ressembler à un arbre généalogique. Ils parlèrent de sa mère, morte depuis longtemps, et rirent en regardant les photos d'allure ancienne de l'album de famille. Ils pleurèrent en évoquant des souvenirs tristes, extirpés des recoins du passé. John savoura chaque moment, tout comme son père, Pasquele.

« Aurora, ma chérie », lança-t-il négligemment à sa femme le matin du vendredi 9 janvier, la veille de leur vol de retour vers New York. « Ce serait peut-être une bonne idée que tu appelles la compagnie aérienne pour confirmer nos billets de retour, ne crois-tu pas ? » « Bien sûr, mon chéri ! » répondit-elle d'une voix détendue et insouciante en soulevant le téléphone dans la cuisine pour s'exécuter.

« Quoi ? ! » John entendit soudain sa voix se durcir et prendre un accent consterné. « En êtes-vous sûr ? Comment cela est-il possible ? C'est une erreur… C'est la faute de l'agent de voyage ! Que voulez-vous dire, le vol est déjà complet ? Vous pouvez certainement faire quelque chose ! Attendez un instant. »

« John ! Nous avons un problème », cria alors Aurora. « L'agente de la compagnie aérienne assure que nos sièges sont réservés non pas pour demain, mais pour la semaine *prochaine*. Pourrais-tu aller chercher les billets dans mon sac à main en haut ? » lui ordonna brusquement Aurora. « Elle dit que nous verrons de nos yeux que les sièges ont été réservés pour le 17 janvier et non pour le 10, comme nous l'avions demandé.

– Mon dieu, Aurora, dit John en lui rapportant les billets d'une main tremblante. Je n'ai pas pensé à vérifier les billets de retour quand l'agent de voyage me les a remis, mais la femme au téléphone a raison. Nos sièges de retour sont bel et bien réservés pour la semaine prochaine et non pour demain ! – Eh bien, appelle l'agent de voyage et demande-lui de régler ce méli-mélo ! s'écria Aurora. Cela fait déjà trois semaines que le commerce est fermé. Nous n'avons pas les moyens de rester fermés une semaine de plus ! Nous devons rentrer. L'agent a fait une erreur, c'est à lui de la corriger. »

Cependant, malgré son embarras et les excuses de mise dans les circonstances, l'agent se montra dans les faits inefficace. « Je suis désolé, bredouilla-t-il d'un ton mortifié. Je ne sais pas quoi dire, John. J'ignore ce qui a pu exactement se produire. En fait, cela ne m'est jamais arrivé. J'ai dû avoir un million de choses à faire en même temps. Peut-être que je ne me sentais pas bien cette journée-là. Je te jure, John, je ne comprends pas comment cette erreur a pu se produire. J'aimerais pouvoir faire quelque chose, mais tous les vols sont absolument complets jusqu'à la semaine prochaine. Ah, je suis vraiment navré de toute cette confusion, John. »

Le lendemain, soit le jour où les Borgese devaient quitter l'Italie, les plans furent encore une fois contrariés. John et Aurora avaient décidé de faire contre mauvaise fortune bon cœur et de passer la journée à Naples à faire le tour des boutiques. Le frère de John, Alberto, qui habitait en bas, avait promis de venir tôt le matin afin de s'occuper de Pasquele. Anxieux de sortir, les Borgese attendaient impatiemment son arrivée, mais Alberto, pourtant reconnu pour sa ponctualité, était étonnamment en retard. Chose exceptionnelle, Alberto ne s'était pas réveillé à temps et allait maintenant arriver en retard au travail. *Les Borgese ne pourraient-ils pas s'occuper de papa à sa place ce matin ?* demanda-t-il en haletant lorsqu'il surgit pour s'expliquer, s'excuser et filer ensuite à toute allure.

« D'accord, Alberto », répondit John en direction de la silhouette fugitive de son frère, en essayant de cacher sa déception. « Cela me donnera plus de temps avec papa. »

John et Aurora soulevèrent Pasquele hors de son lit et l'installèrent dans un fauteuil. En le soutenant et en commençant à parler avec lui, ils furent frappés par le fait que l'état de Pasquele semblait s'être beaucoup détérioré depuis la veille. Ils furent de plus en plus alarmés par sa pâleur et sa confusion mentale. Il paraissait hébété, désorienté et très affaibli. « Giovani, cria Pasquele à son fils. Apporte-moi un feuille de papier, je me marie ! »

Pasquele se mit alors à respirer bizarrement. Plus tard, John décrirait ce son comme un râle.

« J'appelle un médecin ! » s'écria John.

En attendant l'arrivée du médecin, les Borgese tentèrent frénétiquement d'aider Pasquele à respirer. Ils ouvrirent sa chemise et essayèrent de le ranimer, mais il était clair qu'il s'en allait. « Giovani ! » cria Pasquele à un certain moment en renversant les yeux. Et c'est alors qu'il mourut... bercé dans les bras affectueux de John.

En racontant cette histoire survenue il y a plus de dix ans, Aurora Borgese se met à penser : « Si l'agent de voyage n'avait pas fait d'erreur et que nous étions partis le 10 janvier, John n'aurait jamais passé cette dernière magnifique journée avec son père et n'aurait pas été présent au moment de sa mort ni probablement aux funérailles. Mais à cause de cette erreur, qui nous semblait sur le coup un désastre, John a pu faire tendrement ses derniers adieux à son père, pleurer sa mort avec le reste de la famille jusqu'à la fin de la semaine et, par sa simple présence, procurer réconfort et consolation à son frère Alberto, qui était bouleversé. Alberto nous a plus tard confié qu'il n'aurait jamais été capable de traverser cette semaine-là s'il avait été seul.

« Ma philosophie concernant certaines choses de la vie a radicalement changé depuis ce jour fatidique. Maintenant, quand un de mes proches fait une erreur, cela ne me rend pas hystérique et je n'essaie pas de la réparer.

« Selon moi, ce qui est fait est fait. Et évidemment, je ne peux m'empêcher de croire que lorsqu'une erreur effectivement se produit, cela ne peut être que pour une bonne raison ! »

Commentaire

Les erreurs sont souvent le camouflage sous lequel les miracles se dissimulent.

$\mathcal{S}$haron Harvey était une jeune réalisatrice afro-américaine travaillant à Pittsburgh pour une station affiliée à la chaîne de l'information ABC. Frumma Rosenberg, une juive orthodoxe cultivée et articulée, habitait la même ville. Leurs chemins se sont un jour croisés quand Sharon fut chargée de la recherche dans le cadre d'un reportage spécial devant être diffusé pendant le bulletin d'informations du soir.

Intitulé « Femmes du clergé », le reportage explorait en profondeur les voies par lesquelles des femmes de Pittsburgh pratiquant différentes religions exprimaient leur spiritualité. À cette fin, les producteurs avaient choisi d'interviewer une ministre baptiste noire, une religieuse catholique au franc-parler, une rabbine du mouvement judaïque réformé et Frumma. Quand les recherchistes avaient demandé à des membres de la communauté juive de les référer à une femme juive orthodoxe au profil exceptionnel, le nom de Frumma avait été plusieurs fois suggéré. À cette époque, elle dirigeait la Chabad House (un centre d'intervention sociale Lubavitch) et avait été chaudement recommandée comme représentante par excellence de la femme orthodoxe contemporaine. « Oh, Frumma... mais bien sûr ! » s'accordait-on pour dire.

Bien qu'elle fut par la suite ramenée à une entrevue de dix-huit minutes, la préentrevue que Sharon mena avec Frumma dura des heures, jusqu'à tard dans la soirée. Elles s'entendirent toutes les deux à merveille et un lien immédiat s'établit entre elles. Frumma était très impressionnée par la sensibilité des questions de Sharon, sa nature intensément religieuse et la beauté de son âme. Sharon fut attirée par la piété de Frumma, son intelligence aiguisée et son rayonnement spirituel.

Ce fut le coup de foudre.

Sharon était non seulement très belle, mais c'était aussi une femme brillante. Diplômée avec mention de Georgetown University, candidate à la bourse Rhodes, violoniste, elle faisait en outre partie d'une équipe d'athlétisme. Frumma avait eu des relations chaleureuses avec d'autres femmes noires auparavant, mais elle n'avait jamais ressenti le genre d'affinité, de connivence qu'elle éprouvait à l'égard de Sharon. Lorsqu'elles se séparèrent, finalement, ce fut le cœur serré, car elles savaient qu'elles n'allaient plus se revoir.

Un an plus tard, alors qu'elle se rendait donner une conférence à Washington, Frumma s'arrêta à un comptoir à jus de l'aéroport de Pittsburgh et, de loin, aperçut nulle autre que Sharon Harvey, qui se reposait dans un fauteuil à proximité de l'une des portes. Frumma venait tout juste de s'acheter un jus d'orange fraîchement pressé et, impulsivement, décida d'en commander un autre pour Sharon. Elle s'approcha d'elle avec excitation, lui offrit dans un geste d'amitié le grand verre de jus mousseux et lui serra la main avec chaleur. Ce fut pour toutes les deux de « joyeuses retrouvailles », et elles restèrent longtemps assises l'une près de l'autre, pour se mettre à jour concernant leurs vies respectives et bavarder avec enthousiasme. Puis leurs vols furent annoncés et elles se séparèrent à contrecœur. Encore une fois, chacune avait senti qu'un lien intense et puissant les unissait, une « liaison de l'âme » bien particulière qu'on ne pouvait expliquer logiquement.

Un an et demi plus tard, Frumma – résidant maintenant dans le nord de l'État de New York – reçut un appel de son fils de 21 ans, qui habitait et travaillait à New York. Il avait, lui disait-il, des nouvelles intéressantes à lui communiquer.

Il avait été l'un des nombreux « célibataires » juifs à avoir été invités au populaire dîner du vendredi soir qui avait lieu pour le Shabbat (Sabbat) à la résidence d'un rabbin de Manhattan. Plusieurs des jeunes filles présentes semblaient être un bon parti et, confia-t-il en riant à sa mère, quelques personnes avaient fait observer qu'il leur avait « fait la cour ». Mais il n'avait pu s'empêcher de remarquer la présence rayonnante d'une magnifique afro-américaine assise juste en face de lui à la table. Intrigué, il tenta d'en savoir plus à son sujet.

Pas plus tard que le lendemain, le jour du Sabbat, il avait remarqué encore une fois sa présence. Elle priait à la synagogue qu'il avait lui-même l'habitude de fréquenter. Il ne l'avait jamais vue à cet endroit auparavant. Elle avait coutume d'aller à une autre synagogue, située dans l'Upper West Side de Manhattan. Mais comme il neigeait abondamment ce jour-là, et que sa synagogue se trouvait à 45 minutes de marche de chez elle, elle avait décidé d'opter pour un service moins éloigné. C'était la première fois qu'elle y venait, lui avait-elle dit plus tard. Ils s'étaient donc rencontrés par hasard à deux reprises en moins de 24 heures. Il l'avait tout de suite invitée à sortir le samedi soir, après le Sabbat. Elle avait accepté.

« Qu'est-ce qui t'a donc menée au judaïsme ? lui avait-il demandé ce soir-là, fasciné.

– Je suis en train de me convertir au judaïsme, lui avait-elle dit. Je travaille avec un rabbin juif orthodoxe appelé Meir Fund, et ma conversion se fera conformément aux normes les plus strictes de la *halacha* (la Loi juive).

– Mais qu'est-ce qui t'a fait choisir cette voie ? avait-il insisté.

– Eh bien, avait-elle répondu, j'ai toujours, depuis mon plus jeune âge, été attirée par le judaïsme. J'ai grandi à Cherry Hill, dans le New Jersey, et de nombreux juifs habitaient dans le voisinage. Mon père, Ben Harvey, occupait une fonction de directeur adjoint à Philadelphie, et ma mère, Barbara, dirigeait le Programme d'éducation de la petite enfance au sein de la commission scolaire de Philadelphie. Ma meilleure amie était juive. En grandissant, j'ai souvent pensé à me convertir, mais ce n'est que beaucoup plus tard que j'ai eu la chance exceptionnelle d'explorer le judaïsme en profondeur.

Je travaillais alors à Pittsburgh, comme réalisatrice d'une émission d'informations, lui avait-elle expliqué. J'ai fait alors un reportage avec une juive orthodoxe. Cette femme m'a parlé pendant des heures, m'expliquant avec patience et éloquence la beauté et la signification des traditions et des rituels. Elle s'est même donné la peine de reconstituer le repas du *Shabbat* (Sabbat) pour moi, en le mimant... allumer les chandelles, poser le *challah* (le pain tressé destiné spécialement au Sabbat) sur la table, et ainsi de suite. Elle a vraiment rendu le judaïsme vivant à mes yeux. Cette femme m'a fait une très forte impression, et ma rencontre avec elle a été pour moi un tournant, un moment charnière dans ma vie. Et voilà où j'en suis aujourd'hui ! »

Elle s'était tue un instant, pensive.

« Hé, tu m'as dit avoir déjà habité Pittsburgh, avait-elle lancé. Tu connais peut-être la femme que j'ai interviewée.

– Comment s'appelait-elle, avait-il tout bonnement demandé.

– Frumma Rosenberg, avait-elle répondu.

– Frumma Rosenberg ! s'était-il exclamé. Frumma Rosenberg est ma mère ! »

Sharon Harvey faillit tomber en bas de sa chaise.

Frumma fut fascinée en apprenant quel avait été le parcours spirituel de Sharon Harvey et quel rôle, non négligeable, elle avait elle-même joué sans le savoir dans son orientation. Elle ne savait pas que Sharon s'intéressait personnellement au judaïsme et fut surprise d'apprendre que leur brève rencontre avait été à ce point significative. Le judaïsme n'encourage pas le prosélytisme, et Frumma n'avait jamais pensé que ses réponses approfondies aux questions de Sharon allaient guider sa soif spirituelle dans la voie de la conversion. Elle fut aussi étonnée d'apprendre que le chemin de Sharon non seulement avait croisé le sien, mais rencontrait maintenant celui de son fils, à New York.

« Transmets à Sharon mes amitiés les plus sincères…, commençait-elle à dire lorsqu'il l'interrompit avec excitation

– Maman ! coupa-t-il. Ce n'est pas tout. Je n'ai pas encore terminé. »

« Maman, poursuivit-il lentement, Sharon et moi sommes amoureux. »

Un an plus tard, ils étaient mariés.

Quand Frumma et son mari écrivirent au rabbin de Brooklyn pour lui demander la permission d'aller de l'avant dans cette union (une procédure normale dans toutes les familles Lubavitch), le chef spirituel répondit par une bénédiction et la note suivante :

La Torah est écrite en noir et blanc. Elle ne fait pas de discrimination raciale. Vous avez ma haskama (permission).

Sept ans plus tard, ils forment tous deux un couple heureux, avec leurs trois magnifiques enfants, et certaines personnes connaissent maintenant Sharon Harvey sous le nom de Sara Rosenberg.

Pendant plusieurs années, Sharon Harvey avait été spirituellement et intellectuellement attirée par le judaïsme. Ayant grandi dans un milieu multiculturel, elle se sentait à l'aise de faire la transition. Mais quand une juive orthodoxe appelée Frumma Rosenberg courut vers elle au milieu d'un aéroport anonyme en lui tendant, dans un geste d'amour et d'amitié, un verre de jus mousseux, cette attirance s'est profondément enrichie.

Par cette simple gentillesse, Frumma avait en effet démontré de la manière la plus vivante que Sharon trouverait vraiment un foyer au sein de la communauté religieuse juive.

À quel point ce foyer serait proche de celui de Frumma, ni l'une ni l'autre n'aurait pu l'imaginer en cet extraordinaire instant où leurs destins furent irrévocablement liés.

*L*es glaïeuls de mon jardin étaient en pleine floraison. En sortant pour rendre visite à ma mère à la maison de retraite, je coupai trois grandes tiges que j'enveloppai dans une serviette de papier humide recouverte d'un papier ciré. Les luxuriantes fleurs violettes allaient faire un magnifique bouquet dans sa chambre.

Une fois rendue à la maison de retraite, je traversai le hall et me dirigeai vers la chambre de ma mère, dans l'aile G. Soudain, je m'arrêtai, retournai sur mes pas et traversai un autre hall en direction de l'unité de soins.

Je n'ai aucune idée de ce qui m'a fait changer de direction et je ne peux vous dire pourquoi, rendue au poste, je demandai le numéro de la chambre de Mme Farmer. Pour moi, Mme Farmer était simplement cette dame âgée assise bien droite, avec ses chapeaux colorés et ses cheveux blancs comme neige, devant moi à l'église les dimanche matin. Je ne l'avais pas vue depuis plusieurs mois et je ne me rappelais pas avoir entendu dire qu'elle était malade.

La porte de la chambre de Mme Farmer était ouverte. Elle était couchée dans son lit, le visage tourné vers la fenêtre, les yeux fermés. Ses bras maigres et osseux étaient étendus sur la couverture blanche.

Mme Farmer ouvrit les yeux et se retourna, sans montrer la moindre surprise.

« Oh, je vous remercie de vous être souvenue de mon anniversaire », s'exclama-t-elle. Puis, en voyant le bouquet de glaïeuls, elle ajouta : « C'est tout ce que je demandais. »

Je mis les fleurs dans un vase sur sa table de chevet et quittai tranquillement la pièce. Je traversai de nouveau le hall, avec un sentiment de gratitude et de grand respect.

– Shirley Wilcox

Commentaire

L'impulsion soudaine d'aller à gauche alors qu'on prévoyait aller à droite pourrait bien venir de la prière d'une autre personne qui nous attire vers elle.

$\mathcal{C}$ynthia White* était déprimée. Ses mouvements étaient lents, gauches, lourds. Un brouillard oppressant semblait envahir sa tête, dense et accablant. Elle faisait de son mieux, mais elle semblait incapable de se secouer et d'échapper à cette obscurité qui la rendait captive.

Cela faisait sept mois que Frank, son mari bien-aimé qui avait partagé sa vie pendant quarante-cinq ans, était décédé. Et elle le pleurait encore du fond de son âme.

Elle se disait en elle-même qu'elle devrait être reconnaissante pour toutes ces heureuses années qu'ils avaient passées ensemble. Combien de femmes peuvent affirmer avoir vécu autant d'années avec leur conjoint – et de surcroît des années tout aussi satisfaisantes ? Elle se disait qu'elle devrait continuer d'aller de l'avant et essayer de tirer le meilleur du temps qui lui restait.

Mais elle continuait malgré elle de pleurer la mort de Frank.

Le fait que la Fête des mères approchait – une journée que Frank avait toujours soulignée – rendait sa douleur encore plus intense. Il savait à quel point cela lui faisait plaisir d'être choyée à l'occasion, et il ne manquait jamais alors de l'inviter à un dîner bien arrosé, en plus de la bombarder non pas d'un mais d'une profusion de petits cadeaux, choisis avec amour et attention.

Et toujours, un bouquet de fleurs. Pendant 39 ans, immanquablement, un arrangement floral extravagant lui était livré aux premières heures le matin de la Fête des mères.

Frank avait bien enseigné les choses à leurs enfants. Même si Tony, 39 ans, et AnnMarie, 35 ans, vivaient à l'extérieur de la ville, ils lui envoyaient fidèlement le jour de la Fête des mères un bouquet de fleurs par livraison spéciale. Elle en recevait toujours trois, songeait Cynthia. Maintenant, il n'y en aurait plus que deux.

Le décès de Frank avait créé un vide profond à l'intérieur d'elle-même – un vide que rien ni personne ne semblait remplir.

Si au moins je pouvais me dire qu'il existe une forme de vie après la mort, pensa-t-elle la veille de la Fête des mères. *Si au moins je pouvais me dire qu'il est encore d'une certaine manière avec moi, ce serait plus facile de continuer. Mais le fait de penser qu'il est simplement disparu et parti pour toujours est absolument insupportable.*

« Je t'en prie, Frank, s'écria Cynthia, envoie-moi un signe pour me dire que tu es encore avec moi ! »

Le lendemain matin, le jour de la Fête des mères, les deux bouquets que Cynthia attendait arrivèrent comme prévu. Elle sourit en voyant les deux camions de livraison s'arrêter à quelques secondes d'intervalle devant chez elle, et elle donna aux deux livreurs un généreux pourboire.

« Une synchronisation parfaite », dit-elle avec un sourire en voyant les deux immenses bouquets de fleurs occuper la table de la salle à manger. « Comment les enfants ont-ils bien pu s'y prendre ? » gloussa-t-elle.

Elle ouvrit l'emballage du premier arrangement floral et chercha la carte à l'intérieur.

Elle savait à quoi s'attendre. Le message attaché au bouquet d'AnnMarie serait éloquent et sentimental. AnnMarie était la plus émotive des deux ; Tony était plus réservé. Son message, pouvait prédire Cynthia en riant, se résumerait à quelques mots signés : « *Heureuse Fête des mères. Avec tout mon amour, Tony.* »

Le premier bouquet était celui d'AnnMarie.

« *Chère maman,* avait-elle écrit. *Le temps passe et je t'aime de plus en plus. Chaque année qui s'écoule me fait t'apprécier davantage. Tu as toujours été si attentive, aimante et généreuse. Quelle chance j'ai d'avoir une mère comme toi !* »

Cynthia sourit. C'était tout à fait AnnMarie. Puis elle déballa le second bouquet. Elle chercha la carte, la trouva et resta figée.

Il était écrit : « *Heureuse Fête des mères. Avec tout mon amour, Frank.* »

Frank ? ? ?

Les larmes coulaient sur ses joues tandis qu'elle examinait la carte. Elle prit le téléphone et appela son fils Tony.

« Bonjour, maman. Bonne Fête des mères ! As-tu déjà reçu mon bouquet ? demanda-t-il gaiement.

– Tu m'as donc bel et bien envoyé un bouquet, alors ? demanda-t-elle prudemment.

– Mais bien sûr, maman. Cela m'est-il déjà arrivé d'oublier ? enchaîna-il d'un ton taquin. Comment *oserais*-je ? Tu sais bien que papa nous a très bien enseigné comment faire les choses.

– Dis-moi, Tony, demanda-t-elle hésitante, comment l'as-tu signé ?

– Que veux-tu dire, maman ? demanda-t-il sans comprendre. Comme je signe toujours : «*Heureuse Fête des mères. Avec tout mon amour, Tony.*»

– Tony, dit-elle, sur la carte il est écrit : «*Heureuse Fête des mères. Avec tout mon amour, Frank.*» »

Elle entendit son fils prendre une grande inspiration au bout du fil.

« As-tu fait la commande et indiqué au fleuriste quoi écrire au téléphone ? demanda-t-elle lentement.

– C'est toujours ce que je fais, maman », dit-il.

« Je suis désolé, maman, s'excusa-t-il. Cela a dû être un choc pour toi ! De toute évidence, le fleuriste a fait une terrible erreur.

– Non, Tony, dit-elle lentement. Je ne crois pas du tout que le fleuriste ait fait une erreur.

– Maman, raisonna-t-il doucement, ne te fais pas d'idées. Je vais appeler tout de suite le fleuriste et voir ce qui a pu arriver. Je te rappelle aussitôt que j'aurai démêlé cette histoire. »

Mais quand Tony rappela, sa voix était encore plus perplexe.

« Eh bien, raconta Tony, le fleuriste a consulté ses fiches de commande et il a effectivement inscrit «*Avec tout mon amour, Tony*». Il a ensuite vérifié si ton bouquet n'avait pas été par erreur échangé avec celui d'une autre personne – tu vois, par exemple, s'il était destiné à quelqu'un habitant pas très loin de chez toi et qui aurait demandé cette inscription. Maman, soupira-t-il, le fleuriste n'a rien trouvé. Il ne comprend pas ce qui a pu arriver. Il trouve cela vraiment bizarre et ne sait absolument pas comment «*Avec tout mon amour, Frank*» s'est retrouvé sur la carte. Il est très embarrassé et il m'a demandé de te faire ses excuses quand je lui ai dit que «Frank» était le nom de ton défunt mari.

– Il n'a pas à s'excuser, Tony, dit doucement Cynthia. C'est en fait le bouquet le plus significatif que j'aie reçu de toute ma vie. Je lui avais demandé de m'envoyer un signe… et c'est exactement ce que j'ai eu. »

Commentaire
Dans l'écart entre ce que tu me dis et ce que j'entends, l'âme murmure ses propres messages secrets.

*I*l y avait une chose au sujet de laquelle leurs amis étaient d'accord, c'était la suivante : Brenda Cowan et Adam Schechter n'allaient jamais se marier. Ils avaient tous deux l'esprit pratique, et pas du tout romantique. Lorsqu'on leur demandait ce qu'ils pensaient du mariage, ils haussaient les épaules : Pourquoi s'embêter avec ça ? C'est un rituel dénué de sens.

Un soir, Brenda et Adam décidèrent de faire une petite promenade. Leur relation était alors instable. Peu de temps auparavant, après sept années passées ensemble, ils s'étaient séparés. La séparation avait été douloureuse, et ils essayaient prudemment de recommencer à se voir.

Ils commencèrent leur promenade dans le centre-ville, à Greenwich Village. C'était une chaude soirée de juillet, et les rues de New York étaient animées par la présence de nombreux jeunes couples. Brenda et Adam marchaient sans but, s'arrêtant aux vitrines des magasins.

Ils errèrent pendant des heures. Leur plaisir d'être ensemble était si grand qu'ils ne remarquaient pas les kilomètres qui fondaient sous leurs pieds. Ils dérivèrent vers le nord à travers le chaos de Times Square, la cohue des amateurs d'opéra devant le Lincoln Center et la foule qui affluait aux portes des cinémas en haut sur Broadway.

Vers minuit, ils flânèrent sur un boulevard désert. Après tout ce brouhaha, l'obscurité avait quelque chose de sinistre. De l'autre côté de la rue, une lumière solitaire leur fit signe.

« Allez viens, Adam », dit Brenda. Elle l'entraîna vers la lumière dorée qui émanait faiblement d'une minuscule boutique. Dans la vitrine, illuminée, se trouvait une robe si magnifique qu'elle captiva leur regard. C'était une robe blanche toute simple, légère comme les ailes d'une fée.

« As-tu déjà vu une robe aussi magnifique ? dit Brenda le souffle coupé.

« Tu sais, Brenda, dit Adam, si jamais tu portais une robe comme celle-là, je serais obligé de te marier. »

Un éclair électrique traversa Brenda. Était-ce bien là Adam ? L'homme qui lui avait toujours dit que dans le monde d'aujourd'hui le mariage ne tenait pas la route ?

« Tu devrais faire attention à ce que tu dis, Adam , répondit-elle. Je pourrais bien te prendre au sérieux. »

À cet instant, la porte de la boutique s'ouvrit. Une vieille femme décharnée, une cigarette pendue aux lèvres, leur faisait impatiemment signe d'entrer. « Je crois comprendre que vous allez vous marier, dit-elle. Allez, entrez. »

Comme dans un rêve, ils la suivirent. « Essayez-la », dit la vieille femme. Brenda enfila la robe. Elle lui faisait à perfection, comme la pantoufle à Cendrillon.

Brenda retira la robe. Encore dans un état second, ils remercièrent la femme et quittèrent la boutique.

« Je suppose donc que ça y est, dit Adam. Quelle date devrions-nous choisir ? »

La robe avait en quelque sorte tout arrangé. Ils allaient se marier, un point c'est tout. Mais tandis qu'ils continuaient leur promenade en planifiant leur mariage, Brenda sentit son habituel esprit pratique refaire surface.

« Écoute, Adam, cette robe coûte 1 200 dollars ! Cela n'a aucun sens de se permettre une telle extravagance alors qu'elle ne nous servira qu'une seule fois.

– Ne t'en fais pas, dit Adam. Notre fille la portera aussi le jour de son mariage. »

Brenda le regarda de nouveau, bouleversée. Était-ce bien Adam ? Son Adam économe et si peu romantique ?

Le lendemain matin, Brenda se précipita à la boutique où se trouvait la robe. « Je veux cette robe, dit-elle aux deux jeunes vendeuses.

– D'accord, dirent-elles, mais vous devriez d'abord l'essayer.

– Ce n'est pas nécessaire, dit Brenda. Je suis venue tard hier soir et la vieille femme m'a fait entrer.

– Quelle femme ? » Les deux filles la regardèrent, interloquées. « Il n'y a jamais personne ici le soir.

– Eh bien, hier soir il y avait quelqu'un, dit Brenda. Vers minuit.

– C'est impossible, rétorquèrent les filles. Il ne peut d'aucune manière y avoir eu quelqu'un ici.

– Écoutez, dit Brenda. Je suis absolument certaine que... » À cet instant, le téléphone sonna. Au bout du fil se trouvait la styliste qui avait dessiné la robe, celle-là même qui la veille avait fait entrer Brenda et Adam.

La conversation qui suivit fut stupéfiante. Il s'avéra que la vieille femme, qui était propriétaire de la boutique, n'y avait pas mis les pieds depuis des années. Elle détestait cette boutique et, en fait, elle projetait de la fermer. Cependant, la veille, elle avait fini de coudre la robe blanche dans sa boutique du centre-ville. Et elle était tellement excitée par sa création qu'elle se sentit forcée de courir à sa boutique du nord de la ville pour la placer dans la vitrine. Quelques minutes à peine après l'avoir installée, Brenda et Adam passèrent par là.

Brenda était renversée. Était-ce uniquement le hasard qui les avait menés à cette robe fatidique ? On aurait dit que quelque chose les avait attirés vers elle, quelque chose qui avait aussi attiré la vieille femme. Ou était-ce simplement une coïncidence ?

Deux mois plus tard, Brenda monta les marches de la mairie, ravissante comme une princesse dans sa robe blanche. Marchant à ses côtés, se trouvait un Adam en smoking. Il ne faisait aucun doute qu'ils étaient ce jour-là à la mairie le couple le mieux vêtu. Lorsqu'ils échangèrent leurs vœux, Brenda ne put s'empêcher de penser : Sans cette robe, nous serions-nous un jour mariés ? Ou serions-nous restés à jamais ces êtres à l'esprit pratique et sans aucun romantisme ?

Un an plus tard, il fut de nouveau question de la robe. Les amis du couple s'étaient réunis pour admirer le nouveau bébé de Brenda et Adam, une petite fille dont les parents espéraient qu'elle porterait un jour aussi la robe de mariée.

« Tu sais, dit un ami entre les chatouillis et les mimiques destinés à l'adorable bébé, je n'en reviens pas encore que vous soyez mariés. Ce n'est tellement pas votre genre.

– Ce n'est pas notre genre, en effet, dit Brenda. C'est simplement cette robe que nous avons vue... »

– Peggy Sarlyn

*D*epuis l'enfance, Nathan Stein avait toujours rêvé de devenir médecin, mais c'était un rêve qu'il avait d'abord remis à plus tard, puis en fin de compte abandonné.

Une année seulement après son entrée à l'université, la crise économique de 1929 imposa son austère réalité sur sa famille, sort que partagèrent des millions d'autres personnes. Forcé de quitter l'école et de se trouver un emploi pour venir en aide à ses parents et à ses frères et sœurs, Nathan vit son rêve lentement s'évanouir. *Peut-être qu'un jour un de mes enfants, ou du moins un de leurs enfants pourra devenir le médecin que je n'ai jamais pu être,* soupirait-il.

Quelques décennies plus tard, Nathan commença à fonder des espoirs sur son petit-fils, Kevin Landin, avec lequel il entretenait une relation particulièrement chaleureuse. « Kevin, lui répétait-il sans relâche, j'espère que tu deviendras le médecin que j'ai toujours voulu être. » Malheureusement, alors que Kevin n'avait que neuf ans, Nathan Stein mourut. Mais les rêves qu'il avait si passionnément semés chez Kevin survécurent.

Car Kevin, tout comme son grand-père, s'était engagé dès son plus jeune âge à poursuivre le but que Nathan Stein n'avait jamais été en mesure d'atteindre durant sa propre vie. Il voulait devenir médecin et guérir les malades. Et, à mesure que le temps passait, le rêve devenait de plus en plus ancré dans son esprit, dans son être et dans son âme.

Mais où trouver l'argent nécessaire pour s'inscrire à une école de médecine ? Tandis qu'il complétait sa dernière année à la Pennsylvania State University, Kevin, alors âgé de 23 ans, commença non sans une grande anxiété à faire des demandes auprès de différentes écoles de médecine. Comment allait-il payer les frais de scolarité de 15 000 $ exigés pour la première année ? Ses parents étaient tous les deux agents immobiliers, et ils mettaient tous leurs efforts pour élargir leur clientèle.

Un jour, son père, Sherman Ladin, remarqua dans le journal local une annonce placée par un propriétaire désireux de vendre lui-même sa résidence.

« Normalement, je n'appelle pas les gens qui font leur propre publicité », affirma Sherman Ladin au *Philadelphia Inquirer*. Mais, comme il expliqua au journal, il fut soudain pris d'une impulsion irrépressible, qu'il ne pouvait d'ailleurs s'expliquer, et composa le numéro. Ce n'était pas du tout sa façon habituelle de faire des affaires.

Les propriétaires ne furent pas non plus très réceptifs à son appel « impersonnel ». Ils désiraient vendre la maison eux-mêmes et éviter d'avoir à payer une commission à un agent. Ils dirent à Sherman qu'ils attendraient plusieurs jours afin de voir quel genre de réponses susciterait leur annonce. S'ils ne réussissaient pas à vendre eux-mêmes la maison, ils allaient l'appeler, promirent-ils.

Et c'est ce qu'ils firent.

Les propriétaires s'entendirent avec Sherman afin qu'il vienne voir la maison un mardi. Le rendez-vous était fixé et Sherman l'inscrivit sur son calendrier. Mais quand il en fit part à sa femme, celle-ci s'exclama, surprise : « Quoi ? Aurais-tu oublié que ce mardi nous allons à Atlantic City ? Il faut que tu remettes le rendez-vous ! »

Sherman rappela les propriétaires et un nouveau rendez-vous fut fixé le lundi après-midi à 3 heures. « On s'entend donc pour 3 heures ! » confirma-t-il. Mais plus tard dans la journée, ce fut au tour des propriétaires de l'appeler pour lui dire qu'ils avaient *eux aussi* un changement à leur horaire. Le troisième rendez-vous – final celui-là – fut prévu pour le lundi matin, à 11 heures.

Quand Sherman s'approcha de la maison dont on lui avait donné l'adresse, il ressentit un léger choc. « Quand je me suis dirigé vers l'entrée, j'ai réalisé que c'était la maison où mes beaux-parents avaient habité quinze ans auparavant, et cela m'a fait une très étrange impression » se rappela-t-il.

Quand Sidney et Dina Toporov, les actuels propriétaires de la maison, le firent entrer dans le salon, il commença à leur faire part de l'étrange coïncidence. Mais à peine avait-il eu le temps de placer quelques mots que l'on sonna à la porte.

« Non, je regrette, mais il doit y avoir une erreur », entendit-il les Toporov répondre au facteur qui tenait dans la main une lettre recommandée. « Personne ici ne porte ce nom. Nous n'avons jamais entendu parler d'un Nathan Stein... »

Sherman Ladin bondit de sa chaise. « C'était *mon beau-père* ! » s'exclama-t-il.

Il raconta au facteur que son beau-père était décédé quatorze ans auparavant et offrit de signer l'accusé de réception de la lettre recommandée, qui se révéla provenir d'une banque.

C'était un avis au sujet d'un compte sans mouvement qui n'avait jamais été réclamé. Un compte sans mouvement appartenant à Nathan Stein et dont personne – ni sa femme ni sa fille ni son gendre – n'était au courant. Un compte qui allait être repris par l'État s'il n'était pas bientôt réclamé. Un compte qui contenait 15 000 $!

« Je suis sûre que mon père voulait que mon mari soit dans son ancienne maison à l'heure exacte où le facteur arriverait avec la lettre recommandée », dit Shirley Ladin, la fille de Nathan, aux journalistes. « Il devait en être ainsi. Pouvez-vous expliquer autrement ce qui est arrivé ? »

C'était aussi l'avis de son mari.

« J'ai été amené dans cette maison à l'heure exacte où les choses allaient faire en sorte que Kevin obtiendrait l'argent nécessaire pour payer les frais de scolarité de sa première année à l'école médicale », affirma Sherman Ladin.

« Mon père était toujours là pour que de bonnes choses nous arrivent, et il continue de le faire », ajouta Shirley Ladin. « Cela ne fait aucun doute dans mon esprit, mon père a fait en sorte que cela se produise et encore aujourd'hui il est là à nous observer.

*P*ersonne ne veut être en service dans un hôpital la veille de Noël – le jour de Noël non plus, d'ailleurs. Il est en effet difficile d'être séparé de ses êtres chers un jour de fête et de ne pouvoir prendre part aux festivités qui ont lieu en votre absence. Ce qui rend ce devoir encore plus pénible pour les employés d'hôpitaux, c'est le fait d'être témoin de la douleur et de la souffrance des patients qui sont forcés de rester à l'hôpital. Le traumatisme émotionnel est encore plus grand lorsque l'on considère le sort tragique de plusieurs de ces patients gravement malades : dans de nombreux cas, il s'agit de leur dernier Noël.

Comme je travaille dans un hôpital pour enfants, être en service à Noël peut être une expérience déchirante tout autant que réconfortante. Quand je sus que j'allais travailler à la fois la veille et le jour de Noël, j'essayai d'en prendre mon parti. Nous reçûmes la visite d'un père Noël, qui sema la joie dans tout l'hôpital en distribuant des cadeaux aux enfants ravis. Nous avions aussi préparé des bas de Noël remplis de jouets afin que les patients les trouvent à leur réveil le lendemain matin.

Tandis que j'étais affairée au bureau du personnel avec d'autres spécialistes en pédiatrie, quelqu'un frappa avec insistance à la porte (nous voulions que les bas soient une surprise pour les enfants et faisions très attention de laisser la porte fermée). C'était un de nos patients, un adolescent que nous connaissions tous bien. Il avait été hospitalisé à plusieurs reprises au cours de l'année et nous nous étions beaucoup attachés à lui. Malgré la gravité de son état, c'était un garçon chaleureux et généreux. Il trouvait toujours le temps pour prendre les patients plus jeunes dans ses bras, les promener sur sa chaise roulante, leur lire des histoires avant de dormir, ou pour amorcer sur l'étage des combats au fusil à eau, une activité qui distrayait les enfants et les faisait jubiler.

Johnny* avait été réadmis à l'hôpital le soir même et il venait nous offrir son aide pour remplir les bas. Nous étions surpris par le fait que cet adolescent plein d'entrain s'était laissé hospitaliser ce jour-là... la veille même de Noël ! Pourquoi n'avait-il pas attendu le lendemain matin ? voulions-nous savoir. Ne voulait-il pas rester chez lui avec sa famille pour déballer ses cadeaux ?

Une expression triste apparut sur le visage de Johnny. « Non, répondit-il, ce serait pire pour moi de rester à la maison. »

Il expliqua que ses parents lui donneraient des choses qu'il ne désirait pas ou dont il n'avait pas particulièrement besoin. « Ils vont me donner des vêtements, des CD et d'autres choses du genre. J'apprécie leur gentillesse, mais ce n'est pas ce que je veux avoir, ajouta-t-il.

– Mais qu'est-ce que tu veux *vraiment* ? avons-nous demandé, en espérant sans trop y croire qu'il s'agissait de quelque chose que nous avions déjà placé dans l'un des bas de Noël.

– Un Nintendo 64 », répondit-il.

La déception nous fit baisser les bras. Il n'y avait certainement pas de Nintendo 64 parmi les jeux que nous avions empilés dans notre bureau. Nous lui rappelâmes gentiment que le Nintendo 64 – le cadeau de Noël le plus en demande cette année-là – était non seulement difficile à trouver, mais aussi très cher.

« Je sais, dit-il tristement. Seulement j'ai pensé que si j'avais un Nintendo 64 mes frères resteraient peut-être plus souvent à la maison pour jouer avec moi, plutôt que de courir dehors en me laissant tout seul. »

Nous avions le cœur brisé pour Johnny, et si un quelconque magasin avait été ouvert à 10 heures du soir la veille de Noël, nous aurions fait le tour du personnel de l'hôpital pour ramasser l'argent et nous nous y serions immédiatement rués pour lui acheter le jeu. Bien entendu, tous les magasins du coin étaient fermés. Quand nous quittâmes l'hôpital pour la nuit après notre période de travail, chacun rentra chez soi avec à l'intérieur de lui un sentiment de vide et de tristesse. Nous avions l'impression d'avoir d'une certaine façon abandonné Johnny en étant incapables de satisfaire son seul – et peut-être dernier – souhait de Noël.

Le matin de Noël, à 6 h 30, mon téléavertisseur de service bipa. Surprise, je rappelai pour savoir ce qui se passait. La secrétaire de la salle d'urgence me dit alors qu'elle avait terminé sa période de travail et qu'elle voulait me donner un cadeau qu'une personne avait déposé pendant la nuit. Je lui répondis que je serais à l'hôpital vers 8 heures et lui demandai d'ouvrir le colis afin d'évaluer s'il devait être confié à la Sécurité ou conservé à la salle d'urgence. Elle ne put comprendre pourquoi je me mis à sangloter au téléphone quand elle m'apprit que le cadeau était un Nintendo 64. Je n'ai jamais autant pleuré de toute ma vie.

« Comment ce cadeau a-t-il abouti à la salle d'urgence ? dis-je en reniflant quelques minutes plus tard, quand je pus commencer à cesser de pleurer.

– Des personnes l'ont déposé vers 1 heure du matin, dit-elle. Elles se sont dit que la salle d'urgence était ouverte toute la nuit et que quelqu'un pourrait le recevoir. Elles nous ont demandé de le donner au patient de l'hôpital qui pourrait l'apprécier. »

Aucun mot ne peut décrire l'expression de Johnny quand il ouvrit le paquet, ni son sourire quand ses frères s'installèrent autour de lui dans sa chambre pour jouer au Nintendo pendant de longues heures. Nous étions si touchés que nous fîmes part de cette histoire à toutes les personnes qui se trouvaient à l'hôpital ce jour-là. Cela nous rendait tristes de savoir que les personnes qui avaient permis à ce miracle de se réaliser ignoraient à quel point ils avaient fait quelque chose de fabuleux. Nous décidâmes donc d'essayer de les retracer.

Je fouillai dans le sac où avait été placé le Nintendo et trouvai un reçu de carte de crédit sur lequel apparaissait le nom de la personne. J'appelai au centre de renseignements et obtins ses coordonnées. C'est une femme qui répondit au téléphone. Je lui demandai si c'était elle qui avait la veille déposé le Nintendo, et elle me répondit que oui. Elle et son fils s'étaient arrêtés à l'hôpital avec le cadeau.

Pourquoi avaient-ils ainsi offert un Nintendo 64 ? demandai-je en passant, leur faisant remarquer qu'il est rare que l'on donne un cadeau aussi cher à un hôpital.

« Oh, c'est une longue histoire, répondit-elle.

– J'aimerais bien la connaître, lui dis-je.

– Eh bien, commença-t-elle, mon fils est fiancé à une femme qui réside dans un autre État. Celle-ci a deux fils issus d'un mariage précédent, et tous les deux désiraient avoir un Nintendo 64 pour Noël. Comme ce jeu est très populaire et qu'il lui était difficile de le trouver dans la petite ville où elle habite, elle a demandé à mon fils d'essayer d'en acheter un pour elle. Ayant lui-même de la difficulté à mettre la main sur le jeu en question – vraiment très en demande, semble-t-il, cette année –, il lui a dit au téléphone qu'il ne l'avait pas encore trouvé, mais continuerait bien sûr d'essayer. Quand il l'a rappelée quelques jours plus tard pour lui transmettre un triomphant « Mission accomplie ! » – il avait en effet acheté le jeu –, elle a éclaté de rire et lui a dit qu'elle venait le jour même d'en acheter un ! Il se retrouvait donc avec un Nintendo 64 en surplus, qu'il mit dans sa voiture avec l'intention de le retourner au magasin.

Nous revenions de la messe hier soir quand j'ai remarqué le Nintendo sur le siège arrière. J'ai demandé à mon fils ce qu'il comptait faire de ce jeu supplémentaire, et il m'a répondu qu'il pensait le retourner quand il en aurait le temps. À ce moment précis, nous nous trouvions à passer devant le Children's Hospital et, sur le coup d'une impulsion, j'ai suggéré : «Pourquoi ne pas le donner plutôt à un enfant malade ?» »

Je glissai à la femme quelques mots au sujet de Johnny, le patient qui avait été l'heureux bénéficiaire de son extraordinaire générosité. Elle voulut savoir de quelle maladie il était atteint, et je lui dis qu'il avait un cancer. Elle se mit à pleurer. Puis elle me demanda de quel type de cancer il s'agissait. Ma réponse la fit pleurer encore davantage. Elle me raconta qu'elle avait souffert du même type de cancer l'année précédente et que, affaiblie par les traitements, elle avait dû traverser une période très difficile.

Elle avait suggéré à son fils de faire don du Nintendo 64 au Children's Hospital parce qu'elle ressentait une très grande empathie à l'égard des jeunes patients qui y étaient confinés. Si elle-même, comme adulte, avait trouvé l'épreuve si pénible, combien cela devait-il être éprouvant pour un enfant, avait-elle dit à son fils.

Nous avions habituellement un grand nombre de sceptiques parmi le personnel de l'hôpital. Nous avons maintenant un nombre incalculable de nouveaux croyants qui ont été directement témoins des liens merveilleux qu'un esprit d'amour et d'amitié crée entre tous les individus.

Et je suis très heureuse, après tout, d'avoir été en service à l'hôpital ce jour-là, car cela m'a permis d'être moi-même témoin de ce formidable miracle.

– Mary Welker

« *Un* chemin mène à un autre chemin », fait observer Robert Frost dans son merveilleux poème « Le chemin qu'on n'a pas pris », soulignant ainsi que chacun des choix que nous faisons dans la vie ajoute un maillon à une longue et irréversible chaîne.

Exactement en ce sens, deux jeunes hommes habitant différentes régions des États-Unis ont pris, à l'insu l'un de l'autre et chacun de leur côté, une série de décisions simultanées qui allaient changer leur destin à jamais.

En décembre 1997, Roger Mansfield, 21 ans, et Ron Barren, 23 ans, décidèrent à peu près au même moment – sans se connaître et sans s'être jamais rencontrés – de déménager dans le Michigan. Roger vivait alors dans l'État de Washington et Ron résidait en Floride.

Simultanément, chacun se mit à parcourir les offres d'emploi publiées dans les journaux du Michigan et, simultanément, tous les deux furent attirés par une annonce se rapportant à The Greenery, une maison de convalescence située à Howell. Les deux posèrent leur candidature pour le même emploi. Comme l'institution ouvrait par un heureux hasard deux postes d'aide-soignant, Roger et Ron furent tous les deux embauchés.

Ils commencèrent tous les deux à travailler pour The Greenery exactement le même jour, et ils reçurent ensemble la formation. Afin de mettre à jour leurs techniques et d'étendre leurs connaissances, ils décidèrent alors de s'inscrire à un cours de trois semaines offert par le Washtenaw Community College à l'intention des aides-soignants.

C'est à l'université qu'ils eurent l'occasion de mieux se connaître et de vraiment s'apprécier mutuellement. C'est aussi à l'université que quelques-uns des autres étudiants se mirent à faire des commentaires au sujet de leur remarquable ressemblance. Les deux amis se contentaient quant à eux d'en rire.

À la fin du mois de janvier 1998, alors que tous les deux participaient en classe à une discussion sur « L'alimentation et la malnutrition », Roger raconta au groupe qu'il avait lui-même souffert de malnutrition dans son enfance. Il révéla alors qu'il avait par la suite été adopté.

Roger n'avait jamais divulgué cette information auparavant, et le plus étonné parmi toutes les personnes présentes dans la classe fut sans nul doute son nouvel ami Ron, qui se tourna vers lui et lui dit : « J'ai été adopté moi aussi. » « Mon nom de famille était Fletcher. Quel était le tien ? » demanda-t-il ensuite à Roger.

Ce fut au tour de Roger de regarder Ron avec étonnement. « C'est à peine si j'ose le dire, mais mon nom de famille était aussi Fletcher. »

En échangeant leurs histoires, Roger et Ron découvrirent qu'ils avaient tous les deux été adoptés 19 ans auparavant, par le biais de la Children's Aid Society du Michigan. Les similitudes étaient trop frappantes pour être ignorées, mais avant de succomber à l'excitation que suscitait la conclusion la plus logique – voulant qu'ils soient en fait des frères biologiques – ils coururent chacun chez eux pour tenter d'établir la vérité.

Heureusement, chacun avait en sa possession les papiers d'adoption, qui fournissaient la description physique de leurs vrais parents ainsi que l'âge de leurs frères et sœurs. Les renseignements étaient en tout point identiques.

« Les possibilités que cela se produise… vous entendez parler de telles choses, mais jamais vous ne croyez qu'elles puissent *vous* arriver », dit Roger.

Ronnie Skrycki, sa mère adoptive, déclara être excitée pour son fils. « Je crois que ces deux-là avaient besoin de se retrouver à ce moment précis de leur vie », dit-elle.

Considérant toutes les apparentes « coïncidences » qui les ont fait se réunir, cette réflexion semble tout à fait à propos.

$\mathscr{C}$'était la veille du Nouvel An 1957, et Lynn était aussi excitée que pouvait l'être une fille de 15 ans.

Même si elle n'était qu'en 10e année[3], elle venait de passer une heure à converser avec l'un des « beaux mecs » de 12e année[4] qui fréquentait son école dans une banlieue du New Jersey. Il lui avait demandé si elle voulait sortir avec lui ce soir-là et si elle n'avait pas une copine qui pourrait accompagner un de ses amis. Lynn lui répondit que oui.

Quand ils se séparèrent, Lynn courut chez elle pour appeler son amie Irene, qui habitait à côté.

« Tu sais avec qui je viens de parler ? demanda-t-elle d'un ton espiègle.

– Qui ? Qui ? voulut tout de suite savoir Irene.

– Ben La Terra ! Ce garçon adorable dont je t'ai parlé. Il veut que toi et moi sortions avec lui et son ami – ce soir ! »

Les deux filles éclatèrent de rire, ravies.

Ben avait donné à Lynn son numéro de téléphone en lui disant de le rappeler quand elles seraient prêtes pour lui indiquer comment se rendre chez elle.

« Viens chez moi et nous allons l'appeler ensemble », dit Irene.

Mais une heure plus tard, Lynn était au désespoir.

« Je ne trouve plus le papier où il a écrit son numéro ! » gémit-elle. « Qu'allons-nous faire ? »

Irene ne se laissa pas démonter.

« La ville n'est pas si grande. Nous n'avons qu'à appeler la standardiste et lui demander le numéro. » C'était à l'époque où tous les renseignements étaient encore transmis de personne à personne. Comme elles ne connaissaient pas le prénom de ses parents, la standardiste donna à Lynn deux numéros où elle allait pouvoir appeler. Sans que les filles ne s'en rendent compte, la standardiste leur avait donné les numéros correspondant aux abonnés La Terra et La Terre, sans faire la distinction entre le *a* et le *e* final.

Irene composa le premier numéro. Une voix masculine répondit.

« Est-ce que Ben La Terra est là ? demanda Irene avec un brin d'hésitation.

– Un instant », dit Bill La Terre, qui avait répondu au téléphone. Il passa l'appareil à son ami Ben, qui se trouvait justement à lui rendre visite.

« Ici Ben. Qui est-ce ? »

Les deux filles étaient au comble de l'excitation.

« Oh, tu ne me connais pas, dit Irene. Tu as demandé à mon amie Lynn de sortir avec toi et tu voulais qu'elle amène une amie avec elle. C'est moi son amie.

– Je vous ai demandé à toi et à ton amie de sortir avec moi ? »

La voix de Ben semblait incertaine.

C'était maintenant au tour d'Irene d'être déconcertée. « N'avons-nous pas rendez-vous avec vous deux ce soir ? Lynn a dit que nous devions vous appeler quand nous serions prêtes. »

Il y eut une brève pause à l'autre bout du fil. « Oui, oui, bien sûr, nous voulons vous sortir ! Tu n'as qu'à nous donner l'adresse et nous y serons aussitôt que possible. »

Les deux filles étaient des plus heureuses. Irene s'installa dans la fenêtre panoramique et guetta l'arrivée de Bill et de Ben.

« Lynn ! Lynn ! Les voilà, et ils sont mignons comme tout ! »

Lynn accourut voir à la fenêtre. « Oh non ! dit-elle.

– Qu'est-ce qu'il y a, demanda Irene.

– Je n'ai aucune idée de qui ça peut bien être », dit Lynn nerveusement.

De toute évidence, les deux filles avaient composé le mauvais numéro. « Que faisons-nous ? Nous ne pouvons pas sortir avec des garçons que nous ne connaissons pas » ajouta-t-elle, découragée.

Tout un dilemme. On était en 1956. Non seulement les filles croyaient qu'elles ne pouvaient pas sortir avec des garçons qu'elles ne connaissaient pas, mais elles se disaient aussi qu'elles ne pouvaient pas les inviter à entrer dans la maison. Ils passèrent donc tous les quatre la soirée du Nouvel An assis dans l'entrée de chez Irene tandis qu'une neige légère tombait.

À la fin de la visite, il semblait évident que les garçons n'étaient pas ennuyés par le fait que les filles étaient de deux ans plus jeunes qu'eux. Ils avaient envie de les revoir. Les deux amies eurent donc à prendre une décision capitale.

Même si les garçons étaient tous deux charmants, Lynn préférait Bill. Mais selon le code en vigueur entre amies dans les années cinquante, elle avait l'impression qu'elle devait laisser le premier choix à son amie.

« Lequel aimes-tu le mieux ? demanda-elle nerveusement.

– Je préfère Bill », dit Irène en souriant.

Malgré sa déception, la question était donc réglée. Irene sortit avec Bill, et Lynn sortit avec Ben. Mais dans son cœur, Lynn eut toujours une préférence pour Bill et se dit qu'Irene avait bien de la chance.

À la fin de l'été suivant, les garçons obtinrent leur diplôme et partirent faire leur service militaire. Les deux couples se promirent de s'écrire régulièrement.

Mais un après-midi d'hiver, Lynn cogna à la fenêtre d'Irene en passant devant chez elle et la salua.

Quand Irene leva les yeux et aperçut Lynn, son visage prit une drôle d'expression. Elle s'approcha de la fenêtre et appuya une enveloppe portant la mention « par avion » contre la vitre afin que Lynn puisse lire l'adresse de retour. Lynn fut abasourdie de voir qu'il s'agissait d'une lettre que son propre petit ami avait adressée à Irene.

Lynn entra dans la maison et dit : « Je n'ai pas eu de ses nouvelles depuis deux semaines. Peut-être t'a-t-il envoyé ma lettre par erreur ! Puis-je la lire ? »

Mais Irene refusa, en déclarant que la lettre s'adressait à elle et qu'elle contenait des choses personnelles.

Lynn fut profondément blessée par le fait que son amie entretenait une correspondance avec *son* petit ami et se plaisait en outre à l'exhiber. Ce même après-midi, Lynn écrivit elle aussi une lettre, une lettre de rupture. Mais malgré sa colère, Lynn était trop fière pour expliquer à son ancien petit ami qu'elle était au courant de la lettre qu'il avait envoyée à Irene.

L'amitié entre Lynn et Irene ne fut plus jamais la même. Elles continuèrent d'avoir des relations de bon voisinage, mais elles ne furent jamais aussi proches qu'elles l'avaient été.

Quelques années plus tard, Bill et Irene se marièrent et quittèrent le New Jersey. Ils eurent ensuite un fils, Glenn.

En 1960, Lynn épousa Ernie Carangelo. Ils eurent leur premier fils, Mike, cinq ans plus tard. Lynn était enceinte de leur deuxième fils, Don, quand sa vie fut bouleversée. Ernie était atteint d'un cancer. Il mourut quelques semaines à peine après la naissance de leur second enfant.

Âgée seulement de 28 ans, Lynn se retrouva donc veuve et mère de deux jeunes enfants. Son mari n'avait pas travaillé assez longtemps à la banque pour constituer une pension de veuvage confortable. Lynn fut donc en bonne partie laissée à elle-même.

Peu après les funérailles, Lynn prit une décision importante. Elle vendit la maison et, emmenant les garçons avec elle, déménagea en Floride. Elle se disait qu'il lui serait plus facile d'élever seule ses fils sous un climat plus chaud.

Elle décida d'entreprendre des études d'infirmière. Elle se lia d'amitié avec une autre jeune femme, elle aussi veuve avec enfants. Cette femme finit par déménager chez Lynn et elles se partagèrent un horaire pour la garde des enfants. Cet arrangement faisait en sorte que l'une des femmes pouvait prendre soin des enfants tandis que l'autre travaillait.

Quelques années plus tard, la sœur de Lynn déménagea à côté de chez la mère d'Irene. Aussitôt qu'elles eurent l'occasion de rattraper le temps perdu, la mère d'Irene lui apprit que cette dernière était morte d'un cancer.

Lynn fut bouleversée quand sa sœur lui fit part de ces nouvelles. Au nom de leur vieille amitié, elle décida de se rendre au New Jersey pour réconforter la mère d'Irene, qui était maintenant toute seule.

Peu après qu'elle fut montée dans l'avion, un homme s'approcha d'elle.

« Te rappelles-tu de moi ? » demanda-t-il.

Lynn le regarda avec stupéfaction. C'était Bill LaTerre ! Il allait lui aussi au New Jersey rendre visite à sa belle-mère. Ils se parlèrent comme s'ils n'avaient jamais été séparés. C'était tellement bon de revoir Bill. À la fin de la conversation, il lui demanda s'il pouvait la revoir.

Trois mois plus tard, Lynn et Bill étaient mariés – plus de 25 ans après que Lynn eut fait sa connaissance et l'eut « secrètement » préféré.

Lynn et ses fils s'installèrent dans la maison qui avait été celle de Bill et Irene. Bill se révéla être un beau-père merveilleux pour les fils de Lynn – une chose dont ils avaient désespérément besoin du fait qu'ils étaient trop jeunes pour se souvenir de leur propre père. Et Lynn devint « maman » pour Glenn, le fils de Bill. Après tout ce temps, la boucle était bouclée.

Dans un tas de vieille correspondance, Lynn tomba un jour sur la lettre écornée et portant la mention « par avion » que son petit ami avait envoyée à Irene de longues années auparavant, cette même lettre qui avait poussé Lynn à rompre avec lui.

Lynn ne put retenir sa curiosité. Le cœur battant, elle ouvrit l'enveloppe et lut la lettre.

À sa grande surprise, le contenu était complètement innocent – une simple lettre purement amicale dans laquelle il demandait à Irene des nouvelles de Lynn et lui disait combien celle-ci lui manquait ! Lynn ne saura jamais ce qui a pu inciter Irene à laisser entendre qu'il y avait autre chose dans leur relation.

Mais aujourd'hui, presque 20 ans après leurs retrouvailles, Bill et Lynn forment toujours un couple heureux et sont très contents d'avoir été ramenés l'un vers l'autre « par hasard ».

Après tout, Lynn avait toujours préféré Bill.

– Bill Cunningham

Commentaire

Peu importe la distance parcourue, la boucle finit toujours par se boucler.

[3] NDT. Deuxième année du deuxième cycle du secondaire dans le système américain.

[4] NDT. Quatrième et dernière année du deuxième cycle du secondaire dans le système américain.

*B*enson était né au sein d'une famille aimante, auprès de parents qui l'entouraient d'affection et d'une grande sœur adorable. Il manquait peu de chose à son existence, et il grandit relativement heureux. Cependant, il lui arrivait parfois de souhaiter en silence avoir un grand frère, quelqu'un pour le guider, pour l'aider à faire ses premières armes dans la vie et – la chose la plus importante entre toutes – l'amener au base-ball voir les Yankees.

Avec l'âge, son désir d'avoir un « grand frère » s'accentua et, miraculeusement, il put bénéficier de la présence non pas d'un seul, mais de deux frères substituts. Deux hommes plus vieux que lui habitant eux aussi Brooklyn commencèrent à manifester un vif intérêt à l'égard du jeune Benson et le prirent en effet sous leur aile. Bien qu'ils fussent en fait des amis du père de Benson, Jack et Joe étaient beaucoup plus jeunes que celui-ci, ce qui leur permit de devenir les « grands frères » dont Benson avait envie. Et un jour, ils répondirent à son vœu le plus cher en lui annonçant triomphalement qu'ils avaient obtenu trois bons billets pour un match très attendu des Yankees.

Benson, dirent-ils, *le troisième billet est pour toi. C'est nous qui t'invitons !*

Pour le garçon de 13 ans au regard illuminé, l'équipe de base-ball des Yankees faisait partie de la légende, et le fait de pouvoir entrer dans le stade fut l'événement le plus emballant de sa courte vie. Les Yankees gagnèrent en outre le match ce soir-là, ce qui rendit l'expérience encore plus exaltante.

C'était son premier match. Un jeune mordu du sport se rappelle toujours son premier match, de la même façon qu'une jeune fille amoureuse se rappelle toujours sa première idylle avec le cœur rempli de nostalgie, d'intensité et d'amour.

Peu après cet événement culminant, Benson entra à l'école secondaire et son besoin d'avoir des « grands frères » s'atténua. Les trois finirent par suivre chacun leur chemin, et Benson ne revit plus ses compagnons. Il ne revit pas non plus de match des Yankees.

De temps en temps, il demandait des nouvelles de Jack et de Joe. Il apprit entre les branches que Jack était déménagé dans le nord de l'État de New York, tandis que Joe habitait Staten Island, l'une des banlieues de New York.

Trente ans plus tard, en 1997, Benson, maintenant un homme d'âge mûr, vivait à Brooklyn avec son fils. Conservant un vif souvenir de son premier match des Yankees, il décida de répéter l'expérience à l'intention de son enfant. Il se procura de bons billets et, quand il les sortit de sa poche, il put voir dans les yeux de son fils le même pétillement émerveillé, typique des amateurs de sport.

Une fois arrivés au stade du Bronx, ils trouvèrent leurs sièges et attendirent avec une impatience croissante le début du match. Le fils de Benson était assis à côté de lui, tout excité. Benson l'observa tendrement, en se rappelant le jeune garçon qu'il avait lui-même été. *Où sont allées toutes ces années ?*

Benson fut soudain envahi par la nostalgie des belles années passées avec Jack et Joe. Assister à un match des Yankees avait fait remonter de vieux souvenirs doux à son cœur, et il ne pouvait s'empêcher de penser aux deux hommes qui avaient jadis joué un rôle si crucial dans sa vie. *Où sont-ils aujourd'hui,* se demanda-t-il, *et que leur est-il arrivé ?* Ils avaient fait preuve de tellement de gentillesse avec lui. Benson ressentit une grande gratitude en évoquant ces souvenirs.

Benson avait apporté des jumelles et, en attendant le début du match, il parcourut distraitement la foule qui remplissait le stade. Soudain, il s'arrêta net, figé par une vision saisissante. *Ce n'est pas possible ! Pas après 30 ans ! Ici ? Ce soir ? Ne vit-il pas maintenant dans l'État de New York ?*

Mais c'était bien vrai. Là-bas, de l'autre côté du stade, faisant de grands signes (lui aussi avait parcouru la foule avec ses jumelles), se trouvait nul autre que Jack, son ancien « grand frère ».

Après le match, Benson tenta vaillamment de le trouver, mais le stade était rempli à craquer et la foule était trop dense. Il se sentit triste de ne pouvoir retracer Jack, mais leur brève rencontre à travers la vaste étendue du terrain de base-ball lui parut en soi miraculeuse.

Comme il avait promis à son fils une soirée « tout compris »,
Benson se dirigea ensuite avec lui vers un restaurant de Brooklyn
encore ouvert à cette heure.

Et c'est devant ce restaurant qu'il se retrouva face à face avec
nul autre que... Joe, son deuxième « grand frère ».

Mais ce ne fut pas cette fois une simple vision ou une
rencontre fugitive. Ils eurent une vraie conversation, ponctuée de
tapes dans le dos, de mains serrées et de souvenirs évoqués, pendant laquelle chacun voulut rattraper le temps perdu. Une fois de
plus, Benson sentit une vague d'émotions déferler en lui, produi-
sant la même étrange sensation qu'il avait ressentie en apercevant
Jack de l'autre côté du stade.

Trente ans auparavant, ils avaient vécu tous les trois – Jack, Joe
et Benson – une expérience qui allait rester gravée en eux pour l'é-
ternité.

Trente ans plus tard, quand cette même expérience fut répétée,
les motifs complexes et tout à fait particuliers qui avaient été tissés
refirent surface, tout comme les trois personnages qui faisaient partie de cet instant unique, figé dans le temps.

Commentaire

La vie est remplie de ces instants qui se rejouent, quand les personnages ayant fait partie de la distribution originale se réunissent
spontanément sur scène pour une dernière représentation.

$\mathcal{E}$n 1969, alors que j'avais 10 ans, je fus soudainement atteint d'un mystérieux dérèglement de mon système immunitaire. Mes genoux commencèrent par flancher sous mon poids, puis ils enflèrent, me rendant finalement incapable de marcher. On m'hospitalisa immédiatement, et les médecins tentèrent de déterminer ce qui n'allait pas.

Mes parents avaient divorcé l'année précédente, et j'étais depuis inconsolable. Comme j'étais un enfant unique, le divorce avait été particulièrement difficile pour moi. La médecine holistique était peu développée à l'époque et le divorce n'était certes pas aussi répandu qu'aujourd'hui. Plusieurs praticiens suggérèrent néanmoins que ma maladie put avoir une source psychologique. Je fus donc examiné non seulement par des douzaines de spécialistes de tout acabit, mais aussi par un éventail de psychiatres et de psychologues.

Mes deux parents étaient terrassés par ma mystérieuse maladie. J'étais sous la garde de ma mère, mais mon père demanda s'il pouvait me rendre visite régulièrement à l'hôpital et ma mère donna son accord. Le divorce s'était mal déroulé, mais ma mère était tellement reconnaissante d'avoir quelqu'un avec qui partager son fardeau – à la fois physique et émotionnel – qu'elle permit à mon père des libertés qu'elle n'aurait normalement jamais acceptées. Quelques mois seulement avant leur divorce, mes parents avaient changé de ville et ni l'un ni l'autre ne s'était encore créé de proches relations ou un réseau de soutien à New York. Mes grands-parents, des deux côtés, habitaient en outre d'autres villes et ils étaient trop âgés pour se déplacer. Considérant leur angoisse et leur énorme besoin d'aide, il était tout à fait naturel que mes parents se tournent l'un vers l'autre.

Ils convinrent qu'il était vital de former un front commun et mirent leurs différends de côté en faveur de ma guérison. Ils réussirent à établir une paix précaire et parvinrent si l'on peut dire à se rapprocher. J'étais ravi de les voir se parler, pour la première fois depuis des mois, de manière civilisée.

Au début de ma maladie, mes parents veillaient sur moi à tour de rôle. Ma mère s'assoyait près de mon lit pendant le jour et s'en allait dès que mon père arrivait pour prendre la « relève » pour la nuit. Mais au bout de quelques semaines, ma mère se mit à s'attarder un peu après l'arrivée de mon père. Elle ne se précipitait plus vers la porte à la minute où il faisait son entrée. Les « périodes de garde » commencèrent à se chevaucher et ils se mirent à prendre le temps de discuter de mon cas. Quand ma mère devait s'entretenir avec de nouveaux médecins, elle demandait à mon père d'être présent. Il leur arriva même une ou deux fois de descendre ensemble à la cafétéria de l'hôpital pour prendre une bouchée. Les choses évoluèrent de telle sorte que lorsque parfois ma mère se mettait à pleurer – incapable de se retenir ou de cacher son anxiété –, mon père la serrait dans ses bras pour la consoler.

Après trois mois à l'hôpital, on baissa les bras devant mon cas et je retournai chez moi sans que mon état ne se soit amélioré. Les médecins déclarèrent à mes parents qu'ils n'avaient pas été en mesure de déterminer la cause de ma mystérieuse maladie et qu'il était probable que je ne sois plus jamais capable de marcher.

Malgré ce sinistre pronostic, une lueur venait éclairer ma sombre vie : mes parents étaient retombés amoureux et avaient décidé de se remarier ! J'étais transporté de joie.

Six mois après leur remariage, je me suis soudainement remis à marcher. J'ai maintenant 38 ans et depuis je n'ai éprouvé aucune autre difficulté, si ce n'est une légère douleur de temps à autre dans les genoux.

Les médecins n'ont jamais pu résoudre le mystère de l'étrange dérèglement dont j'avais été atteint ni expliquer les raisons de ma miraculeuse guérison. Cependant, j'ai toujours moi-même eu l'impression que tout cet épisode avait été décrété par Dieu dans un but précis.

Si je n'avais pas été gravement malade, mes parents ne se seraient jamais retrouvés ni remariés. Ma maladie fut l'étincelle qui ralluma leur amour.

Commentaire

Il faut parfois une maladie physique pour redonner au cœur sa capacité de guérison.

*E*n 1956, par une froide matinée de décembre, un garçon de 13 ans nommé David, mon cousin, se blottit contre sa mère à bord d'un métro aérien en direction de Manhattan. À peine une semaine auparavant, ils avaient quitté une vie difficile en Hongrie pour en recommencer une nouvelle en Amérique, à un endroit appelé Brooklyn. Tandis qu'ils tentaient de s'adapter à d'énormes différences linguistiques et culturelles, il leur semblait qu'ils avaient troqué un lot d'épreuves contre un autre. Mais l'Amérique leur donnait un précieux atout : l'espoir.

David s'installa dans le train brinquebalant et appuya sa joue contre la fenêtre froide, s'émerveillant devant les imposants buildings. « Bonjour », dit un vieil homme, le sortant de ses rêveries. L'homme se tenait en face de lui avec un grand manteau en laine et un imposant chapeau de fourrure. Les yeux de David passèrent avidement en revue chaque centimètre de cette silhouette élégante. Il aima par-dessus tout le regard chaleureux qui caractérisait cet homme.

« Venez-vous d'arriver dans ce pays ? » Le distingué étranger adressait sa question au père de David.

« Nous ne sommes ici que depuis une semaine », répondit celui-ci.

L'étranger se pencha pour s'assurer que David se sentait inclus tandis qu'il parlait à ses parents. « Je suis arrivé en Amérique à la fin des années 1800. J'étais un petit garçon comme toi. » Son regard croisa celui de David. « J'étais monté dans un tramway. Et un vieil homme s'est approché de moi. Il m'a dit que lui aussi avait immigré aux États-Unis quand il était petit garçon. Il m'a expliqué qu'à cette époque il n'avait pas un sous dans ses poches. Le vieil homme a alors sorti une pièce de un dollar et l'a placée dans ma main. Il m'a dit «Tiens, mon garçon, cette pièce de monnaie m'a apporté beaucoup de chance au cours de ma vie. Maintenant je te la donne et j'espère qu'elle t'apportera autant de chance.» »

L'étranger approcha son visage de celui de David et sortit une pièce de un dollar de sa poche. « Cette pièce de monnaie, qui m'a été donnée par le vieil homme, m'a apporté beaucoup de chance et une vie prospère de bien des façons. Je veux maintenant qu'elle soit à toi et, tout comme on me l'a souhaité à moi, je souhaite qu'elle te porte chance. » Il ouvrit la main de David et déposa fermement dans sa paume le pièce de un dollar. David referma sa main et serra très fort la pièce. Il savait qu'il la conserverait pendant de longues années.

Le lendemain, David examina la pièce de monnaie à la lumière du jour qui entrait par sa fenêtre. Il plissa les yeux pour mieux la voir puis les écarquilla de surprise. « Ce n'est pas une pièce ordinaire, pensa-t-il. Elle date des années 1800 ! Et pourtant, elle brille comme si elle venait d'être estampée. »

Plus de quarante années ont passé depuis cette mémorable promenade en métro. Le petit immigrant craintif a vieilli et est devenu un homme distingué. Formant un couple heureux depuis 35 ans, David et son épouse ont élevé quatre enfants, qui ont tous élevé à leur tour une famille. Reconnaissant de la chance qu'il a eue, David sourit lorsqu'il voit ses petits-enfants jouir de la sécurité financière dont il a lui-même été privé dans son enfance. Tout ce qu'on lui avait souhaité jadis lors de cette promenade en métro s'est réalisé.

David ne se sépare jamais de la précieuse pièce de monnaie. « Un jour, a-t-il dit à sa femme, quand je serai plus vieux, je poserai les yeux sur un jeune garçon agrippé au manteau de sa mère et rongé par la peur de vivre parmi des étrangers dans un pays qu'il ne connaît pas. J'irai vers ce petit garçon effrayé et, tout comme on l'a fait pour moi, je le rassurerai en lui disant que la vie qui l'attend lui apportera de la joie et de la satisfaction. La pièce de un dollar et les encourageantes paroles d'espoir m'ont été transmises par un homme gentil qui les avait reçues de quelqu'un d'autre, et ce sera alors à mon tour de les transmettre. »

– *Judith Leventhal*

*D*ans un de ses livres, l'éminent psychiatre Carl Jung relate l'histoire suivante :

Pendant la Seconde Guerre mondiale, des soldats américains étaient postés sur une des îles du Pacifique et préparaient une offensive contre le Japon.

Un soir, très tard, l'un de ces soldats, qui s'appelait Johnny, se reposait dans sa tente quand, inexplicablement, il entendit la voix familière de sa mère bien-aimée qui l'appelait d'une manière pressante : « Johnny ! Johnny ! »

Elle semblait affolée.

Johnny rit en lui-même. Sa mère était en ce moment aux États-Unis, à des milliers de kilomètres, et il avait affaire de toute évidence à un soldat désœuvré qui s'amusait malicieusement à ses dépens en imitant la voix de sa mère. Qui était ce soldat et comment il parvenait à imiter parfaitement la voix de sa mère, il n'en avait pas la moindre idée. Personne sur la base n'avait jamais rencontré sa mère ; comment quelqu'un pouvait-il imiter sa voix de façon si convaincante ?

Curieux et perplexe, Johnny se leva de son lit de camp et sortit dans l'obscurité afin de trouver l'homme qui lui avait joué ce tour.

Johnny s'attendait à trouver le farceur quelque part dans les environs, tordu de rire, mais à sa grande surprise il n'y avait personne à proximité ni même un peu plus loin.

Johnny était une personne tenace, qui n'abandonnait pas facilement. Il n'aimait pas non plus qu'on se moque de lui. Il s'aventura donc loin de sa tente, déterminé à retracer l'auteur de la farce. Mais tout le monde sur la base semblait profondément endormi, et personne n'était debout.

Après avoir cherché en vain, Johnny abandonna finalement sa chasse et retourna à sa tente.

Mais là où à peine quelques minutes plus tôt était montée sa tente, il aperçut un immense cratère fumant.

Pendant l'absence de Johnny, des obus japonais avaient atterri à l'endroit où se trouvait sa tente. Tous les soldats qui étaient à l'intérieur étaient morts sur le coup. La vie de Johnny avait été sauvée par le mystérieux farceur.

Plusieurs mois plus tard, Johnny retrouva la sécurité de la terre américaine et la chaleur des bras accueillants de sa mère. Lorsqu'il raconta à sa mère comment il avait été sauvé de justesse, elle lui fit le récit de sa propre histoire.

Pendant cette horrible nuit dans le Pacifique, exactement au même moment où Johnny avait entendu l'appel de sa mère, celle-ci dormait dans l'Oklahoma et faisait un rêve très intense. Dans son rêve, la tente de son fils était bombardée par des obus. Le rêve semblait si réel qu'elle avait crié dans son sommeil : « Johnny ! Johnny ! » Ses hurlements n'avaient cessé qu'après que son mari l'eut tirée du cauchemar où elle était prise au piège.

Son mari avait essayé de la calmer – en lui répétant à plusieurs reprises *ce n'est qu'un rêve* – et elle avait finalement arrêté de crier.

Mystérieusement, la voix de la mère s'était rendue jusqu'aux oreilles de son fils, à des milliers de kilomètres, et lui avait sauvé la vie.

Commentaire

Les ondes sonores émises par l'amour d'une mère sont de loin plus puissantes que tout ce que nous pouvons réussir à mesurer.

$\mathscr{C}$'était un long vol, et elle fut heureuse d'apercevoir enfin l'hôtesse de l'air qui traversait l'allée avec le repas kasher qu'elle avait spécialement commandé. Elle était affamée et, dans la petite ville du Midwest où elle se rendait, il n'y avait pas de restaurant ou d'épicerie kasher où trouver facilement de la nourriture. Elle déchira l'épaisse enveloppe de plastique qui renfermait le repas kasher et y plongea avec voracité. Elle était soulagée. Dernièrement, au cours de ses nombreux voyages, il y avait eu tellement de contretemps et de confusion concernant ses repas kasher qu'elle était ravie de constater que, cette fois du moins, il n'y avait aucun problème.

Le jeune homme assis plusieurs rangées devant elle n'avait toutefois pas la même chance. Remarquant le *yarmulke* qu'il portait sur la tête et qui indiquait qu'il était comme elle un juif orthodoxe, elle l'observa tandis qu'il se tournait calmement vers l'hôtesse après que tous les repas eurent été distribués. Sur un ton poli et respectueux, il lui demanda ce qui était arrivé du repas kasher qu'il avait commandé et qui, en fait, ne lui avait pas encore été servi.

L'hôtesse consulta la liste des commandes, vérifia son numéro de siège et son billet, puis de nouveau la liste.

« Je suis désolée, monsieur, s'excusa-t-elle, mais j'ai bien peur que l'agent de voyage n'ait fait une erreur. Aucun repas kasher n'a été commandé à votre nom. Il me fera plaisir de vous servir le repas régulier de la compagnie », lui offrit-elle avec obligeance.

Le jeune homme sourit. Il était difficile d'expliquer ce que signifiait « kasher » à des personnes non juives, mais il tenta d'expliquer que la loi religieuse lui permettait de manger uniquement des aliments particuliers préparés sous la supervision spéciale des autorités rabbiniques. Dans sa religion, manger quoi que ce soit d'autre serait considéré comme un péché.

Il préférerait se priver de nourriture.

« Pouvez-vous prendre un fruit ? », lui demanda l'hôtesse. « Je crois que nous en avons en réserve. » Le jeune homme acquiesça, et l'hôtesse s'en fut sans attendre.

Assise plusieurs rangées en arrière, la jeune femme observait le scénario qui se déroulait sous ses yeux. Elle avait vécu exactement la même situation un nombre incalculable de fois. Elle savait à quel point le jeune homme devait compter sur ce repas kasher, d'autant plus que les hommes, contrairement aux femmes, prévoient rarement d'apporter avec eux un en-cas. Elle fit signe à l'hôtesse.

« Écoutez, dit-elle, j'ai moi-même un repas kasher et je serais heureuse de le partager avec l'homme qui est là-bas. Voudriez-vous lui donner ceci, et cela. Merci. »

L'hôtesse remit la nourriture au jeune homme, qui se retourna avec reconnaissance et lui fit un geste de gratitude. Elle était heureuse d'avoir accompli une bonne action.

À la fin du vol, au moment du débarquement des passagers, elle aperçut avec étonnement le jeune homme qui l'attendait à la porte.

« Je tenais à vous remercier personnellement », dit-il. « C'était très gentil de votre part.

– Oh, c'était tout naturel, vraiment, dit-elle. J'applique moi-même de manière stricte la loi kasher et, croyez-moi, j'étais en mesure de comprendre dans quelle situation vous vous trouviez.

– J'aimerais bien me présenter, dit-il. Je m'appelle Jonathan Brand*.

– Hum, enchaîna-t-elle en fronçant les sourcils d'un air perplexe. Votre nom me semble tellement familier…

– Quel est le vôtre ? demanda-t-il.

– Judy Stone*, répliqua-t-elle.

– Moi aussi j'ai déjà entendu *votre* nom ! s'exclama-t-il. Mais où donc ? », s'interrogea-t-il à voix haute.

Il claqua alors les doigts. Un sourire se dessina sur ses lèvres. « Ah, je sais ! se rappela-t-il. Une marieuse m'a déjà mentionné votre nom. En fait, elle m'a dit de très belles choses à votre sujet.

– Mais oui, bien sûr, cela explique pourquoi votre nom me semblait si familier, dit Judy avec un rire timide. La marieuse m'a aussi mentionné votre nom ! »

Il y eut un silence empreint de malaise et tous les deux eurent un mouvement de gêne. Le jeune homme fixait le plancher, embarrassé.

Judy rassembla son courage et parla la première. « En fait, j'étais intéressée à vous rencontrer, dit-elle, mais la marieuse est revenue me voir et m'a dit que vous n'étiez pas du tout intéressé. Puis-je savoir pourquoi ?

– Elle m'a mentionné que vous poursuiviez des études supérieures. Je lui ai dit que je ne voulais pas d'une universitaire, marmonna-t-il, troublé.

– Et pourquoi pas ? demanda-t-elle.

– Je ne croyais pas qu'une universitaire pouvait beaucoup s'intéresser à la charité et aux bonnes œuvres, des choses essentielles et prioritaires dans ma vie.

– Oh, *vraiment* ! », le réprimanda-t-elle sur un ton de défi. Elle le regarda avec une moqueuse expression de colère, puis s'adoucit.

« Je suppose que je me suis trompé », s'excusa-t-il.

Dix années ont passé, et tous les deux, maintenant mariés, forment depuis un couple heureux.

Commentaire
Quand deux âmes sont destinées à s'unir, elles-mêmes ne peuvent y faire obstacle.

*T*oute sa vie, Jane McNally avait cherché des indices au sujet de sa mère, assoiffée qu'elle était de toute information concernant cette femme décédée alors qu'elle n'avait elle-même que cinq ans.

Elle se souvenait d'elle vaguement : quelques éclats de rire chaleureux... de tendres berceuses... des mots réconfortants remplis d'amour et de douceur dont elle entendait encore l'écho et qui faisaient rejaillir une mélopée de souvenirs chers à son cœur. Mais Jane ne se contentait pas de ces *vagues* rappels : elle voulait rassembler des trésors vivants, saisissants et intenses appartenant à l'esprit de sa mère, des trésors aux couleurs franches et vibrantes. Car les souvenirs étaient tout ce qui lui restait.

Un an après la mort de sa mère, le père de Jane s'était remarié, tentant dès lors de laisser derrière lui ce triste chapitre de sa vie. Sa nouvelle épouse à ses côtés, il se sentait mal à l'aise à l'idée de relater des événements qui auraient évoqué la présence de sa première femme ; cela lui paraissait cruel et injuste. Le tout était aggravé par le fait que la belle-mère de Jane semblait particulièrement sensible – voire jalouse – à l'égard des souvenirs se rapportant à sa mère. La petite fille n'était donc aucunement encouragée à remémorer le passé. Elle grandit avec un vide dans son cœur.

Quand Jane se maria et eut elle-même des enfants, elle ne parvint pas à se débarrasser de cette sensation de vide à l'intérieur de son âme. Tous les événements heureux de sa vie – les grands moments qui auraient dû être merveilleux et les multiples instants qui auraient dû la réconforter – étaient gâchés par le regret inaltérable que sa mère n'en ait pas été témoin.

Au cours des ans, Jane continua sans relâche à rechercher les fragments de la mosaïque représentant sa mère, mais à chaque fois celle-ci semblait lui échapper. La seule chose qu'elle possédait et qui lui apportait une consolation, c'était l'album de mariage de sa mère ; elle en parcourait les pages constamment, gravant chaque photo, chaque scène, chaque expression dans sa mémoire. Elle se demandait si l'album pouvait renfermer quelque indice important, et elle s'obstinait à demander aux membres de sa famille de l'aider à identifier les étrangers apparaissant sur les photos. Un cousin s'était un jour rappelé le nom de l'une des demoiselles d'honneur – Mildred Clabeush – mais n'avait pu d'aucune manière l'aider à la retracer.

Les années passèrent, et Jane devint grand-mère. Finalement, elle s'était fait à l'idée que jamais elle ne parviendrait à combler le manque qu'elle ressentait au fond de son âme. Elle avait poursuivi ses enquêtes avec ténacité, mais rien n'en était ressorti. Elle prenait de l'âge, et elle allait probablement mourir sans savoir qui était réellement sa mère.

Un jour, un vendeur itinérant entra dans le salon de thé dont Jane était propriétaire et lui tendit sa carte. Son cœur fit un bond quand elle lut son nom : John Clabeush. Elle lui raconta d'un trait son histoire et lui parla de la quête de sa mère qui l'avait animée toute sa vie. Son cœur battit la chamade lorsqu'elle lui demanda si par hasard il ne connaîtrait pas une femme appelée Mildred Clabeush.

« C'est ma tante ! répondit John.

– C'était il y a si longtemps... », murmura Jane doucement, sentant s'éveiller en elle à la fois de l'impatience et de l'appréhension. « Est-ce qu'elle serait, par un heureux hasard, encore en vie ?

– Hé ! Vous avez de la chance ! répliqua John joyeusement. Il se trouve que c'est la femme de 94 ans la plus alerte et la plus lucide que je connaisse ! Elle a l'esprit aussi vif que celui d'une adolescente ! Je peux vous donner tout de suite son adresse ! »

Mildred Clabeush n'aurait pas pu être plus obligeante... ni plus bavarde. Manifestant une mémoire précise et détaillée, elle gratifia Jane de ses récits sur les escapades de jeunesse de sa mère, dont elle évoquait les yeux brillants et l'attitude énergique : les promenades pleines d'entrain sur les charrettes de foin, les amusantes séances de patinage, leurs fous rires lorsqu'elles couchaient l'une chez l'autre. Finalement, le portrait d'une jeune femme espiègle et fougueuse, possédant un incroyable appétit de vivre, prit forme dans l'esprit de Jane. C'était ce portrait qu'elle avait inlassablement recherché toute sa vie.

Après 62 ans, les blessures de son cœur pouvaient enfin se cicatriser.

Au cours de sa première visite, Jane toucha la main de Mildred et sentit une incroyable chaleur irradier de son être. Mais ce qui l'enveloppait n'était pas seulement l'amour de Mildred ; elle ressentait aussi de manière palpable la présence de sa mère autour d'elle.

Jane a rendu plusieurs fois visite à Mildred après cette première rencontre, et l'expérience est chaque fois la même.

« Lorsque je parle avec elle, lorsque j'écoute ses histoires et quand je tiens sa main, c'est comme si je touchais à ma mère depuis longtemps disparue. Cela m'a finalement apporté la paix que je cherchais pendant tout ce temps. »

Commentaire
Malgré tous les virages et les détours, tous les chemins finissent par nous ramener chez nous.

*M*on père était un homme bourru. Je ne pouvais me rappeler la dernière fois où il m'avait tapoté la joue, ébouriffé les cheveux ou appelée par mon nom en utilisant des mots tendres. Son diabète lui avait donné un mauvais caractère, et il criait beaucoup. Je me sentais envieuse lorsque je voyais d'autres pères embrasser gentiment leur fille sur le front ou les serrer spontanément dans leurs bras. Je savais qu'il m'aimait et que son amour était profond. Il ne savait tout simplement pas comment l'exprimer.

Je m'éloignai donc moi aussi. C'était difficile de dire « je t'aime » à quelqu'un qui ne disait rien en retour. Après toutes ces tentatives décevantes où je reculai devant ses brusques rebuffades, je me mis moi-même à contenir mes chaleureuses manifestations d'affection. Je cessai d'essayer de me serrer contre lui ou de l'embrasser. Au début, cette attitude de retenue était consciente. Elle devint ensuite automatique et finit par s'enraciner.

L'amour entre nous continuait d'être fort, mais demeurait silencieux.

Un soir, lors d'une rare sortie en ville, après que ma mère eut réussi à persuader mon père habituellement asocial de se joindre à nous, nous étions attablés dans un élégant restaurant fièrement animé par un orchestre modeste mais entraînant. Lorsque l'orchestre joua les premiers accords d'une valse connue, je lançai un regard à mon père. Il me parut soudain petit et chétif, et non pas comme je l'avais toujours perçu, c'est-à-dire puissant et intimidant. Quelque chose dans son apparence me donna à réfléchir.

Toutes les vieilles blessures remontaient à l'intérieur de moi, mais je décidai de tenter ma chance une dernière fois.

« Papa ! Tu sais, je n'ai jamais dansé avec toi. Même quand j'étais petite, je te le demandais, mais tu ne voulais jamais ! Pourquoi ne pas le faire maintenant ? »

J'attendais la réplique brusque à laquelle j'étais habituée et qui allait encore une fois mettre mon cœur en miettes. Mais au lieu de cela, il me regarda pensivement et, tout d'un coup, une surprenante étincelle apparut dans ses yeux.

« J'ai été négligent dans mes devoirs de père, alors », blagua-t-il d'une manière qui lui était peu typique. « Rendons-nous donc sur la piste et je vais te montrer de quoi est encore capable un vieux schnock comme moi ! »

Mon père me prit dans ses bras. Depuis ma plus tendre enfance, je n'avais jamais senti son étreinte. Je me sentis envahie par l'émotion.

Tandis que nous dansions, je fixais mon père avec attention, mais il évitait mon regard. Ses yeux balayaient la piste de danse, les autres dîneurs, les membres de l'orchestre. Il scrutait les gens et les choses, mais ne posait pas les yeux sur moi. Je me disais qu'il devait déjà regretter sa décision de m'accompagner pour une danse ; il semblait mal à l'aise de se trouver physiquement proche de moi.

« Papa ! murmurai-je finalement, les larmes aux yeux. Pourquoi est-ce si difficile pour toi de me *regarder* ? »

Il posa enfin les yeux sur mon visage et il me considéra avec attention. « Parce que je t'aime tellement, me répondit-il à mi-voix. Parce que je t'aime. »

Je fus interloquée par sa réponse. Ce n'était pas ce que j'attendais. Mais c'était, bien sûr, ce que j'avais besoin d'entendre.

Il était aussi au bord des larmes et il clignait des yeux.

J'avais toujours su qu'il m'aimait ; je n'avais tout simplement pas compris que l'ampleur de son émotion l'effrayait et l'avait rendu muet. Son comportement taciturne dissimulait le flot profond d'émotions qui l'habitait.

« Je t'aime aussi, papa », lui chuchotai-je doucement à mon tour.

Il bafouilla en prononçant les mots suivants. « Je... Je regrette de ne pas être démonstratif, dit-il. Je réalise que je ne montre pas ce que je ressens. Mes parents ne m'ont jamais serré dans leurs bras ni embrassé, et je suppose que j'ai appris d'eux à ne pas le faire. C'est... c'est... difficile pour moi. Je suis probablement trop vieux pour changer maintenant, mais je tiens à ce que tu saches à quel point je t'aime.

« Je comprends », répondis-je dans un sourire.

Quand la danse se termina, je ramenai papa auprès de maman qui attendait à la table et, en m'excusant, je me rendis aux toilettes. Je ne m'absentai que quelques minutes, mais à mon retour toute la scène avait changé.

Je traversai la salle à dîner au milieu des éclats de voix, des cris et du bruit des chaises. Je me demandais ce qui pouvait bien causer toute cette commotion. Au moment où j'approchai de notre table, je me rendis compte qu'il s'agissait de mon père.

Il était effondré sur sa chaise, livide.

Un médecin présent dans le restaurant se précipita pour lui administrer les premiers soins. On appela une ambulance, mais il était déjà trop tard.

Il était mort. Instantanément, nous annonça-t-on.

Qu'est-ce qui m'avait soudainement poussée – après toutes ces années à me blinder devant son constant rejet – à lui demander de danser ? Qu'est-ce qui l'avait fait accepter ? D'où venaient ces impulsions ? Et pourquoi *maintenant* ?

Ce soir-là, au restaurant, je ne vis que son corps effondré et son teint livide, et tout autour les dîneurs affligés et l'expression triste des ambulanciers.

Mais la scène que je me rappelle aujourd'hui est complètement différente.

Je nous revois valser sur la piste de danse et je me rappelle sa confession urgente et soudaine. Je l'entends de nouveau me dire « Je t'aime », je me souviens de lui avoir dit aussi.

Tandis que je me remémore cette scène, pour une raison ou pour une autre, les paroles d'une vieille chanson de Donna Summer me reviennent curieusement à l'esprit :

Last dance… last chance… for love[5]

C'était en effet la première, la dernière et l'unique fois où j'ai dansé avec mon père. Quelle chance avons-nous eue d'avoir pu nous dire – avant qu'il ne soit trop tard – ces trois mots qui restent toujours vivants, longtemps après notre départ, tendant vers l'éternité.

– *Tracy Anderson*

Commentaire

Juste avant que les étincelles de la vie ne s'éteignent, la flamme de la bougie se met à danser. Elle projette un mince et nostalgique filet de fumée dans les airs, y formant des cercles et des pirouettes avant de se volatiliser vers le ciel. Allumez une bougie et observez cette danse, apprenez quelque chose de plus sur la vie et son dernier souffle.

[5] NDT. Dernière danse… dernière chance… pour l'amour.

$\mathcal{T}$ous dans la famille avaient remarqué le lien spécial qui unissait Nana Rizzo et Andrea, sa petite-fille de deux ans. Toutes les deux pouvaient s'asseoir avec bonheur pendant des heures, à rire et à jouer, se perdant dans un monde imaginaire qu'elles seules partageaient. Quand la séance de jeu était terminée et qu'Andrea grimpait sur les genoux de Nana pour l'embrasser avant d'aller dormir, tous s'étonnaient de leur grande ressemblance.

Un jour, à l'occasion de la Fête des pères, Nana Rizzo se joignit à la famille pour un barbecue. La journée se déroula agréablement. Les adultes jasaient, tandis qu'Andrea et ses cousins couraient dans la cour. Le soir venu, les enfants les plus vieux entrèrent dans la maison. Les adultes s'attardèrent sur leurs chaises de parterre, prenant plaisir à converser, tandis qu'Andrea s'amusait tout près à faire des dessins à la craie.

Personne ne remarqua qu'Andrea s'était penchée à quatre pattes vers la piscine pour y tremper sa craie. Personne n'entendit Andrea tomber. Personne ne vit Andrea perdre connaissance en coulant au fond de l'eau.

Soudain, Nana poussa un cri. « Andrea est dans la piscine ! »

En un éclair, Barbara, la mère d'Andrea, plongea dans l'eau pour la sortir. Andrea ne respirait plus. Sa peau était bleue. Son petit corps était mou et immobile.

Ce fut l'émoi total. Tout le monde se mit à crier, à pleurer et à courir en tout sens. Barbara se pencha sur le corps de sa fille et, désespérément, tenta de lui donner la respiration artificielle. Mais cela était inutile. Andrea était sans vie. Rien ne pouvait la ramener.

Nana Rizzo ferma les yeux et murmura une prière.

« Mon Dieu, je suis une vieille femme. Prends-moi à sa place. »

De la cour voisine, Sam Callahan entendit les hurlements qui provenaient de l'autre côté de la clôture et fut intrigué. Était-ce le vacarme d'une fête qui battait son plein ou quelque chose n'allait pas ? Il ne vivait pas à cet endroit ; il ne connaissait pas ces gens.

Il s'était simplement arrêté pour une courte visite à l'occasion de la Fête des pères.

« Eh bien, je devrais aller voir ce qui se passe », se dit-il.

Il agit aussitôt qu'il aperçut la famille pétrifiée au-dessus du corps sans vie de l'enfant.

« Avez-vous essayé la technique de Heimlich ? », demanda-t-il à Barbara.

Comme elle lui répondit par la négative, il prit Andrea par derrière et serra doucement ses côtes. Un filet d'eau jaillit de sa bouche. Rapidement, Sam lui donna deux fois la respiration.

Andrea cligna des yeux et ouvrit les paupières. Ses joues reprirent leur couleur et elle se mit à pleurer.

« Maman ! Je suis tombée dans la piscine ! »

Tout le monde se remit à pleurer, mais cette fois c'était de joie. Nana Rizzo embrassa Andrea sur la tête, puis regarda vers le ciel.

« Merci, mon Dieu », murmura-t-elle. « Merci d'avoir répondu à ma prière. »

Tenant encore Andrea serrée contre elle, Barbara se tourna vers l'étranger qui avait sauvé son enfant.

« Vous êtes mon ange gardien ! Comment pourrais-je vous récompenser ? »

Sam hocha la tête. « Vous n'avez pas à me récompenser.

– Mais comment se fait-il que vous ayez su quoi faire ? demanda Barbara.

– Oh, j'ai été sauveteur pendant plusieurs années. Je suis simplement heureux de m'être trouvé là. »

Dans les jours qui suivirent, la vie reprit rapidement son cours normal. Andrea ne subit aucune lésion à la suite de son terrible accident et redevint bientôt aussi enjouée qu'avant. Barbara, bien que profondément bouleversée, retourna à son rythme de travail trépidant, à ses courses et à ses interminables allées et venues.

Une seule personne ne revint pas à la vie normale... Nana Rizzo.

Durant toute sa vie, elle avait joui d'une santé remarquable. Tout d'un coup, mystérieusement, elle se mit à décliner. Elle se sentait vidée de son énergie ; la douleur la maintenait réveillée pendant la nuit.

Babara accompagna Nana chez le médecin, et celui-ci confirma ses pires craintes. Nana avait un cancer. Sa fin était proche, tout irait très vite. Et la douleur serait intolérable.

La santé de Nana se détériora rapidement et la famille était folle d'inquiétude. Personne ne pouvait supporter l'idée de la voir bientôt subir toutes ces souffrances. Nana demeurait toutefois étrangement calme, presque sereine.

« Ne vous en faites pas, disait-elle. Dieu a répondu à mes prières. »

Le 25 août, deux mois après qu'elle eut demandé à Dieu de prendre sa vie et d'épargner celle d'Andrea, Nana Rizzo mourut en paix.

Peu de temps après, Andrea se réveilla en pleurant. Barbara courut dans sa chambre et la prit dans ses bras.

« Qu'est-ce qui ne va pas, Andrea ?

– Maman, je rêve encore que je suis dans la piscine.

– Et moi je vais te sortir de l'eau, n'est-ce pas, Andrea ? dit Barbara.

– Non, maman. Dans mon rêve, c'est Nana Rizzo qui vient me chercher. »

– Peggy Sarlin

*J*l y a plusieurs années, Diana était une journaliste reconnue, spécialisée dans le domaine médical, à l'emploi d'une station affiliée de Miami. En tant que personne publique et en raison des compétences qu'elle démontrait à la télévision, elle recevait constamment des demandes de la part de téléspectateurs qui, sous différentes formes, sollicitaient son aide. Elle aurait bien aimé les satisfaire, mais elle savait qu'il lui était impossible de répondre à tout le monde. Si elle l'avait tenté, sa vie aurait été un tourbillon sans fin.

Mais un jour, elle reçut une demande d'une téléspectatrice qui lui alla droit au cœur. Carl, le mari de Mary L., était atteint d'une tumeur cancéreuse rare appelée liposarcome. La tumeur se trouvait dans la partie supérieure de sa cuisse. Les médecins lui avaient dit que la seule manière d'éliminer ce type de cancer était l'amputation de la jambe. Mary L. ne connaissait pas Diana personnellement – elle l'avait seulement vue à la télévision –, mais elle était entrée en contact avec elle en désespoir de cause, espérant que Diana pourrait leur fournir d'autres options.

Diana se sentit émue par l'appel de Mary et décida de l'aider. Mais que pouvait-elle faire ? Elle se creusa la tête. Qui donc, parmi ses connaissances, serait en mesure de lui venir en aide ? Elle se rappela tout d'un coup avoir fait une entrevue plusieurs mois auparavant avec un médecin qui lui avait parlé d'un nouveau traitement médical. Peut-être pourrait-il lui référer quelqu'un.

« Je peux aider cet homme ! », s'exclama le médecin, après qu'elle lui eut raconté l'histoire du mari de Mary. « Je suis moi-même spécialiste en ce domaine ! Il se peut que M. L. n'ait pas besoin de se faire amputer la jambe après tout. Selon les méthodes les plus récentes, ce type de tumeur peut être traité autrement que par l'amputation. Envoyez-le-moi ! »

Carl fut effectivement opéré, mais au lieu d'amputer la jambe, on n'enleva que la tumeur. L'opération fut suivie d'une thérapie, et le cancer disparut complètement. La référence de Diana avait contribué à sauver la jambe de Carl, et peut-être même sa vie.

Mary L. était transportée de joie. Elle écrivit à Diana une carte émouvante pour la remercier. Le mot était tellement touchant que Diana mit la carte dans une « boîte à souvenirs » où elle conservait une série d'objets particuliers. Mais elle ne la relut pas par la suite.

Près de six ans plus tard, Diana faisait l'inventaire d'une boîte contenant des choses ayant appartenu à son père vers la fin de sa vie (il était décédé plusieurs années auparavant) lorsqu'elle tomba sur la carte de remerciement de Mary et de Carl.

« Que c'est étrange ! », se dit-elle. « Comment cette carte a-t-elle bien pu se retrouver parmi les choses de papa ? »

Par curiosité, Diana relut la note. C'est alors qu'une alarme commença à sonner dans sa tête. Depuis des semaines, elle avait remarqué – puis écarté de son esprit – une étrange enflure à sa cuisse gauche.

Supposant qu'il s'agissait d'un muscle qu'elle se serait étiré en courant, elle avait attendu que cela guérisse. Mais l'enflure n'avait pas diminué. Diana continuait de se dire qu'elle devrait probablement aller voir un médecin mais, en raison de son horaire de travail chargé, elle avait toujours remis à plus tard.

Maintenant, à la lecture de la carte de remerciement de Mary L., le cœur de Diana se mit à battre. Ce n'était pas possible, n'est-ce pas ? Mais selon toute apparence elle avait exactement les mêmes symptômes que Carl L. !

Les probabilités qu'une chose telle que la tumeur de Carl lui arrive à elle étaient extrêmement minces – il s'agit en premier lieu d'une forme extrêmement rare de cancer –, mais la note lui donna tout de même l'élan dont elle avait besoin. Diana appela son médecin et prit rendez-vous. Le premier rendez-vous fut suivi d'un autre avec un spécialiste, puis d'un autre encore. L'incroyable diagnostic final : Diana avait elle aussi un liposarcome dans la partie supérieure de la cuisse !

« Vous avez beaucoup de chance », dirent les médecins. « Ce genre de tumeur est relativement rare et souvent elles ne sont détectées que lorsqu'elles sont très grosses. » Ils lui assurèrent que le fait d'en avoir très tôt identifié la présence augmentait considérablement ses chances d'en arriver à une guérison complète.

Les mois qui suivirent furent un vrai tourbillon. Diana subit un traitement de radiothérapie qui dura plusieurs semaines, puis on précéda à une intervention chirurgicale pour enlever la tumeur. Suivirent plusieurs mois de physiothérapie et d'examens avant que sa vie ne reprenne un cours normal.

Naturellement, Diana se rappelait avec gratitude le rôle clé que la carte de Mary avait joué dans sa décision de consulter si rapidement un médecin. Elle voulait écrire à Mary pour lui dire à quel point la carte avait changé le cours de sa vie. Mais elle ne parvenait pas à trouver la note. Elle avait fouillé partout, mais la carte avait encore une fois disparu.

À mesure que sa vie reprit sont rythme trépidant, Diana se trouva de nouveau absorbée par ses nombreuses responsabilités familiales et professionnelles. Gillian, sa fille aînée, avait reçu deux des trois piqûres normalement administrées aux enfants d'âge scolaire pour prévenir l'hépatite B.

Gillian avait toujours été sensible aux injections, mais celles-ci étaient exigées par l'école et Diana avait fait le nécessaire pour que sa fille les reçoive. Prise dans le chaos de ses propres problèmes, Diana n'avait cependant pas encore pris de rendez-vous pour la troisième piqûre et elle était maintenant déterminée à le faire.

Toutefois, avant de s'exécuter, Diana remit la main sur la note de Mary. La carte était cette fois réapparue dans une chemise contenant des reçus. Pourquoi et comment elle avait abouti là demeurait un mystère. Diana était déconcertée par le fait que cette carte surgissait de manière inopinée, et chaque fois à la mauvaise place. Mais elle interpréta cela comme un signe et décida de composer immédiatement le numéro de téléphone qui y était inscrit. Elle ne savait absolument pas si, après toutes ces années, Mary et son mari habitaient encore au même endroit et s'ils avaient conservé le même numéro de téléphone.

Mais c'était le cas. Mary répondit et fut des plus surprises en entendant Diana se présenter. « Comment m'avez-vous retracée ? demanda Mary.

– Vous rappelez-vous m'avoir écrit une carte de remerciement ? répliqua Diana.

– Comment pourrais-je ne pas m'en souvenir. » Elle était toujours reconnaissante à l'égard de Diana, qui avait contribué à sauver la jambe de son mari.

« Eh bien, Mary, vous n'allez pas me croire », dit Diana avant de lui raconter ce qui était arrivé et le rôle que la carte de Mary avait joué dans sa propre rencontre avec le cancer. À la fin de la conversation les deux femmes étaient en larmes, bouleversées par le fait que la carte de Mary avait mystérieusement et miraculeusement changé la vie de Diana.

« Mais c'est assez ironique que vous appeliez aujourd'hui, dit Mary, car mon fils est sur le point de passer à la télévision. »

Elle raconta à Diana que son fils de 23 ans, un pompier, avait dû faire face à une série de maladies dues à une réaction à la troisième injection du programme de vaccination contre l'hépatite B. Il avait été tellement malade et avait subi tellement de frustrations concernant le régime de soins de santé qu'une équipe de télévision venait à la maison la journée même afin de réaliser un reportage sur son cas.

« La troisième injection ? », demanda Diana. Elle sentit encore une fois son sang se glacer – il s'agissait de la même piqûre qu'elle s'apprêtait à faire administrer à sa fille, qui tendait elle aussi à manifester de fortes réactions.

« Mary, dit Diana, il se peut très bien que vous ayez sauvé encore une fois un membre de ma famille. »

Nul besoin d'ajouter que la fille de Diana ne reçut jamais sa troisième injection. Et la mère tout comme la fille se portent à merveille.

Et, si jamais la carte de remerciement de Mary venait encore à disparaître, Diana est convaincue qu'elle refera surface au moment où elle en aura le plus besoin !

– Bill Cunningham

Commentaire

Le bureau cosmique des objets trouvés fonctionne selon un système bien particulier pour ce qui est de la disparition et de la récupération des objets en question.

*E*n 1985, je travaillais comme représentante de commerce et, à ce titre, je m'étais rendue à New York afin de participer à une foire commerciale.

Tandis que je visitais l'une des salles d'exposition dont je représentais la ligne de produits, je rencontrai par hasard un autre fabricant appelé Mark Fisher, qui créait et vendait des lampes en cristal. Nous engageâmes une conversation et, impressionné par mon expérience professionnelle, Mark me demanda si je voulais représenter sa ligne de produits sur mon territoire, dans l'Ohio.

Cette brève rencontre fortuite fut le début d'une longue relation professionnelle qui s'étendit sur des années.

Dans le cadre de notre relation de travail, nous nous parlions, Mark et moi, de manière périodique, nous en tenant en général à des questions professionnelles, mais il nous arriva de digresser vers des sujets plus personnels. Un jour, Mark me confia qu'on avait découvert que sa femme souffrait d'un cancer du sein mais que, le diagnostic ayant été fait à temps, tout allait bien. Je fus désolée d'apprendre cette nouvelle, mais heureuse de savoir qu'elle était en rémission.

Quatre ans plus tard, comme je n'étais plus en mesure de vendre les lampes de Mark en quantités suffisantes, je démissionnai. J'avais beaucoup aimé travailler avec lui, mais il n'était plus profitable pour moi de continuer à représenter sa ligne de produits. Le fait de m'éloigner de Mark créa chez moi un sentiment de perte. J'avais beaucoup d'admiration pour lui. J'étais à cette époque célibataire, et je m'étais toujours dit que j'aimerais épouser un homme qui ressemblerait en plusieurs points à Mark.

Je finis par me marier mais, pour des raisons tragiques, ce fut pour peu de temps. Six mois à peine après le jour de nos noces, mon mari fut victime d'une première crise cardiaque.

C'est environ à cette époque que je reçus un appel inattendu de Mark, avec qui je n'avais pas parlé depuis deux ans. Il voulait savoir où j'en étais sur le plan professionnel et aussi me faire part d'une horrible nouvelle : le cancer de sa femme avait réapparu. De mon côté, je racontai à Mark que mon mari se remettait d'une grave crise cardiaque. Nous nous témoignâmes l'un et l'autre de la sympathie et nous nous souhaitâmes que les choses aillent mieux.

Le 30 mai 1993, mon mari était à la maison quand il eut une deuxième crise cardiaque. Il fut amené d'urgence à l'hôpital, où il mourut une heure plus tard. J'étais complètement bouleversée, paralysée sous l'effet du choc. Je savais qu'il avait été malade, mais je ne m'étais jamais attendue à ce qu'il meure. Je traversai les semaines qui suivirent dans un brouillard, portant ma lourde peine et trouvant appui auprès de mes amis et de ma famille. Sans leur secours moral et physique, je n'aurais sûrement pas survécu à cette épreuve.

Un jour, je reçus un message me demandant d'appeler Mark Fisher au sujet d'un nouveau travail. Je ne fus pas encline à le rappeler immédiatement mais, ironiquement, la même personne qui nous avait présentés à l'origine, plusieurs années auparavant, à la foire commerciale de New York, m'appela exactement au même moment. Je lui soulignai que son appel était toute une coïncidence, car je venais tout juste de recevoir également un message de Mark. J'ajoutai cependant que j'avais l'intention de l'ignorer. Cette personne, estimant que j'avais besoin que l'on me remonte le moral, me pressa de reconsidérer ma décision et de retourner l'appel, ce que je finis par faire, sans enthousiasme.

« Comment vas-tu ? », me demanda Mark.

– Pas très bien, répondis-je. Une tragédie est survenue dans ma vie.

– Qu'est-ce qui ne va pas ? demanda Mark avec empressement.

– Mon mari vient de mourir », dis-je.

Il y eut un silence, puis Mark enchaîna : « Es-tu bien assise ? J'ai moi-même d'horribles nouvelles. »

Sa femme était morte du cancer le 2 mai, seulement quatre semaines avant le décès de mon mari. Ce fut à mon tour de rester silencieuse ; je ne savais pas quoi dire.

« Écoute, dit Mark, je suis à mon nouveau travail et je ne suis pas vraiment en mesure de parler. Puis-je te rappeler ce soir ? »

Bref, pour résumer, disons qu'il m'appela ce soir-là, et tous les soirs qui suivirent pendant un mois.

Nous parlions de toute sorte de choses, en particulier de l'expérience déchirante de voir quelqu'un mourir lentement, jour après jour, et de l'expérience opposée de la mort qui survient soudainement. Nous étions capables de parler d'émotions que nous ressentions tous les deux et que seules les personnes ayant traversé un deuil de ce genre peuvent entièrement comprendre.

Après d'innombrables conversations téléphoniques, nous décidâmes finalement de nous rencontrer à un endroit situé à mi-chemin entre New York et l'Ohio. Notre première rencontre – dans un contexte complètement nouveau et différent – se déroula à merveilles.

Six mois plus tard, nous achetâmes un condo et nous nous mariâmes dans notre nouvelle maison.

Qui aurait dit, en 1985, que je venais de rencontrer mon futur mari ?

Les anges nous ont entraînés sur un long et difficile parcours, mais nous avons fini par nous trouver l'un et l'autre. Nous pleurons bien sûr nos conjoints décédés, mais nous nous sentons heureux, mon mari et moi, d'avoir eu une deuxième fois la chance d'aimer.

– *Nicole Fisher*

$\mathcal{K}$evin Chapman* attendait le train à la Penn Station de New York, et il la remarqua immédiatement. « *Voilà* une femme séduisante », se dit-il.

C'était le 5 juillet, et les gens revenaient en masse d'un long week-end férié. Une fois monté dans le train, il traversa trois wagons sans trouver de siège libre. Dans le dernier wagon, il aperçut la femme attrayante qui était assise tout au fond. Il alla jusqu'à elle, savourant sa chance, et ils se mirent à causer.

Elle se révéla aussi intelligente que jolie. Kevin prit immensément plaisir à converser avec elle. Quand le train arriva à Philadelphie, Kevin lui souhaita un bon voyage jusqu'à Baltimore et descendit.

Aussitôt le train parti, Kevin poussa un cri de frustration.

« Idiot ! », se dit-il en lui-même. « Pourquoi ne lui as-tu pas demandé son numéro de téléphone ? » De rage, il donna un coup de pied sur ses bagages. Il se frappa la paume avec son poing et se traita de tous les noms.

« Il ne me reste qu'une chose à faire », se jura-t-il. « Je vais la trouver. Et je n'arrêterai pas de chercher tant que je ne l'aurai pas retracée. »

Mais par où commencer ? Il ne savait que trois choses à son sujet : elle s'appelait Rita, elle travaillait pour un bureau d'avocats et elle vivait à une distance de marche de la gare de Baltimore.

Le lendemain, Kevin courut à la bibliothèque et transcrivit le nom de tous les bureaux d'avocats de Baltimore. La liste était étonnamment longue. Kevin se lança à l'attaque sans se laisser décourager. Chaque fois que son patron était occupé ailleurs, il composait à la dérobée le numéro d'un nouveau bureau d'avocats de Baltimore et demandait à parler à Rita. Mais la progression était lente – d'une lenteur exaspérante et insoutenable – pour un homme amoureux. Kevin se mit à se déclarer malade et à passer ses journées chez lui, appelant l'un après l'autre, avec obstination, tous les bureaux d'avocats.

Les amis de Kevin commencèrent à s'inquiéter. De toute évidence, l'homme était obsédé. Il les appelait à toute heure du jour et de la nuit, radotant inlassablement les mêmes propos au sujet de Rita. Le reste du monde semblait s'être effacé. Il s'extasiait en pensant à sa bien-aimée, imaginait des plans chaque fois plus insensés pour la retrouver, et plus rien d'autre ne comptait...

Pourquoi ne pas publier une annonce géante dans les journaux de Baltimore ? Pourquoi ne pas déménager à Baltimore et parcourir les rues nuit et jour à sa recherche ? Pourquoi ne pas...

« Écoute, Kevin, lui dit son ami Arthur, cette chose est une folie. Tu ne peux pas continuer dans cette voie. Il y a d'autres femmes, tu sais.

– Pas pour moi, dit Kevin. Si seulement tu avais rencontré Rita, si seulement tu savais à quel point elle est incroyable...

– D'accord, soupira Arthur. Raconte-moi encore une fois l'histoire à partir du début. Peut-être découvrirons-nous un nouvel indice. »

Une fois de plus, Kevin se lança dans le récit qu'il avait tant de fois répété. Soudain, il s'arrêta. « Je viens de me rappeler un détail ! Elle m'a dit qu'elle avait étudié dans une petite université en Californie !

– Alors, maintenant nous tenons quelque chose », dit Arthur.

Ils réfléchirent à cette nouvelle donnée. D'un côté, il s'agissait d'un renseignement précieux, potentiellement. D'un autre côté, il existait probablement des douzaines de petites universités en Californie – peut-être même des centaines. Ni Kevin ni Arthur n'étaient jamais allés en Californie et ni l'un ni l'autre ne connaissait les écoles de cet État. Leurs chances de mettre le doigt sur l'université que Rita avait fréquentée étaient ridiculement minces. Mais Kevin était si désespéré qu'Arthur se décida à faire une suggestion, aussi absurde puisse-t-elle être.

« Écoute, Kevin, hier soir je suis allé au théâtre. Comme j'aimais vraiment l'une des comédiennes, j'ai vérifié ce que l'affiche disait d'elle. J'ai remarqué qu'elle avait commencé à jouer dans une petite université, en Californie. Pourquoi ne pas commencer par celle-là ? », dit-il, heureux de se souvenir encore du nom de l'université.

Dans sa quête frénétique de Rita, Kevin était prêt à tout tenter, même si le moyen semblait complètement fou. Il saisit le téléphone et appela le service aux étudiants de l'université mentionnée par son ami.

« J'essaie de retracer une Rita », dit-il. « Je ne connais pas son nom de famille, mais elle a dû obtenir son diplôme il y a environ quatre ans. » Il fournit une brève description physique.

« Pourquoi la recherchez-vous ? », demanda l'employé avec méfiance.

Troublé par l'évidente hostilité de l'employé, Kevin bredouilla une histoire confuse au sujet d'une bague trouvée... une genre de bague de fiançailles dont il avait appris par hasard qu'elle lui appartenait. À mesure qu'il racontait son histoire, il se rendait compte lui-même à quel point elle sonnait faux.

Bien qu'il ne fût pas très réceptif, l'employé prit en note le numéro de téléphone de Kevin. Quand il raccrocha, Kevin était convaincu que sa cause était perdue. Mais une heure plus tard l'employé le rappela.

« Une Rita a effectivement obtenu son diplôme chez nous il y a cinq ans, dit-il. Et la photo qui apparaît dans l'album de finissants correspond à votre description. Mais je ne suis pas autorisé à vous donner quelque renseignement que ce soit à son sujet.

– Je vous en prie, supplia Kevin.

– Je suis désolé. C'est contre les règlements », lui répondit froidement l'employé.

Toute la journée, Kevin fut consumé par de violentes émotions, oscillant entre une furieuse frustration et un extatique espoir. Se pouvait-il que ce fût Rita ? Sa dernière tentative lui avait-elle effectivement permis de la trouver ? Était-il possible que l'impossible fût désormais à sa portée ?

À 1 heure du matin, il appela Arthur.

« Crois-tu que c'est elle ? demanda-t-il aussitôt qu'il entendit la voix d'Arthur.

– Ouais, bien sûr, pourquoi pas, murmura faiblement Arthur. Quelle heure est-il ?

– Mais *pourquoi* crois-tu que c'est elle ? Uniquement parce qu'il t'est arrivé d'aller voir un quelconque spectacle et qu'une quelconque comédienne a débuté dans une quelconque école ? Quelles sont les chances que cela arrive ?

– « Écoute, Kevin. Contente-toi de remercier ta bonne étoile et d'apprécier le fait que ses parents l'aient appelée Rita. Imagine si tu avais à retracer une Susan ou une Debbie… Il s'agit d'une Rita, l'âge correspond, ainsi que l'apparence physique et l'école qu'elle a fréquentée. Laisse-moi maintenant dormir. »

À 6 heures du matin, Kevin rappela Arthur.

« Mais si c'est elle, comment vais-je faire pour passer par-dessus l'employé de l'université ?

– Tu vas trouver un moyen », dit Arthur en raccrochant.

À 9 heures ce même matin, selon l'heure californienne, Kevin appela le service aux étudiants. Ce fut le même employé qui répondit, et Kevin raccrocha. Il rappela le lendemain, puis le jour suivant, raccrochant chaque fois que l'employé répondait.

Mais le jour suivant, une nouvelle voix répondit au téléphone – une voix de femme. Elle semblait sympathique, et Kevin mit son sort entre ses mains. « S'il vous plaît, aidez-moi. Je suis tombé désespérément amoureux d'une personne que j'ai rencontrée dans un train en direction de Baltimore. Je crois qu'elle a peut-être fréquenté votre école. Je vous en prie, pouvez-vous me donner son numéro de téléphone ? »

L'employée se montra compréhensive. « Je ne vous promets rien, dit-elle chaleureusement. Mais je vais voir ce que je peux faire. »

Chaque heure qui passa ensuite sans nouvelles lui fit souffrir le martyre. Kevin était tantôt convaincu que l'employée ne le rappellerait jamais. La minute d'après, il était certain qu'elle le rappellerait uniquement pour le tourmenter avec le numéro de téléphone d'une autre Rita – une pathétique mystificatrice habitant l'Alaska ou la Nouvelle-Orléans ou Kalamazoo… Les heures se transformèrent en jours, les jours en une semaine.

L'employée finit par rappeler. « D'accord, les bonnes nouvelles en premier. J'ai trouvé son numéro. Mais… » soupira-t-elle de manière inquiétante. « Il s'agit en fait du numéro de téléphone de ses parents. Je leur ai raconté votre histoire et… » Elle laissa entendre un léger gloussement. « Voici son numéro à Baltimore ! »

Deux ans plus tard, au mariage de Kevin et de Rita, Arthur proposa un toast.

« Mes amis, chaque fois que nous trouvons une personne à aimer, c'est un vrai miracle. Mais le plus drôle, c'est que Dieu, dans certains cas, ne nous sert pas notre miracle sur un plateau d'argent. Parfois, Il désire que nous nous mettions à l'ouvrage et que nous travaillions d'arrache-pied pour que notre miracle se réalise. Mon cher Kevin, sacré veinard, je lève donc un verre à ta santé ! »

– Peggy Sarlin

Commentaire

Certains miracles se présentent à leur pleine maturité et prêts à être cueillis, tandis que d'autres exigent des semences minutieuses, un regard vigilant et, à certains moments, une ténacité surhumaine.

*J*e mène une vie très pauvre, qui m'oblige à faire des économies de bouts de chandelle. Ah mais je ne me plains pas, car je suis riche sur tellement d'autres plans : six merveilleux enfants, un mari extraordinaire, une famille tissée serrée, c'est-à-dire des parents, des frères et des sœurs qui sont les uns pour les autres d'un grand soutien... Oui, ma vie comporte plusieurs avantages dont je suis reconnaissante.

Sur le plan financier, cependant, les choses ont toujours été difficiles pour nous, et c'est ce qui explique que, à 43 ans, je n'avais pas encore réalisé le rêve de ma vie, celui d'aller en Italie, la terre de ma famille, le pays de mes origines et de l'héritage qui m'a été transmis. Ainsi donc, lorsqu'un montant d'argent inattendu nous tomba du ciel, mon mari insista pour que je l'utilise pour m'envoler (au sens propre et au sens figuré).

« Tu as toujours été la dernière sur la liste », dit-il. « L'argent que nous avons réussi à avoir dans notre vie a servi à tout un chacun mais jamais à toi. C'est maintenant ton tour ! Fais ce que tu désires le plus au monde ! Réalise tes désirs ! Saisis cette chance ! VAS-Y ! »

Après toute une vie à faire passer les autres avant moi, je suivis ce conseil. Je saisis effectivement l'occasion. Qui aurait pu dire si elle se présenterait de nouveau ?

Je passai huit jours en Italie et ce fut un séjour magnifique. Je ne pus pas faire toutes ces choses que s'offrent la plupart des touristes : j'avais réussi à me rendre là-bas avec un budget très limité et je devais surveiller de près mes dépenses. Mais je réalisais un genre de pèlerinage spirituel, et les choses sacrées ou les lieux saints susceptibles de créer chez moi une telle sensation de respect et de vénération étaient gratuits. Par la force des choses, j'évitais les pièges à touristes.

Néanmoins, le dernier jour, j'entrai finalement dans une boutique pour touristes. J'avais parcimonieusement utilisé mes faibles provisions d'argent comptant afin de pouvoir rapporter des souvenirs de mon voyage à ma famille. Après avoir choisi soigneusement des cadeaux pour mon mari et mes enfants, je fus attirée par la jolie vitrine d'une bijouterie où des colliers, des bracelets et des boucles d'oreilles scintillaient de manière invitante. Je trouvai deux magnifiques colliers pour ma mère et ma sœur, et j'appelai la vendeuse. Tandis qu'elle se penchait pour retirer les deux articles que j'avais choisis, mes yeux furent attirés par un ravissant collier en argent serti de turquoises, déposé dans un coin. J'en tombai amoureuse.

Je ne suis pas une personne matérialiste, et je possède très peu d'objets de valeur. Je ne suis pas non plus très portée sur les bijoux. Mais si vous êtes une femme, vous me comprenez quand je dis que je suis tombée follement, irrévocablement amoureuse de ce bijou. Sous l'effet d'un charme, captivée, complètement séduite, il me le fallait dans l'instant. Décidément, mon nom était gravé sur ce collier.

« Combien coûte-t-il ? », demandai-je timidement.

La vendeuse me répondit par un montant astronomique. Il coûtait aussi cher que les deux colliers que j'avais choisis pour ma mère et ma sœur.

Moi ou elles ?

Je m'arrêtai un moment pour réfléchir. Je *voulais* vraiment ce collier, il me le fallait absolument. *Peut-être que pour une fois je pourrais me faire passer en premier*, me dis-je. Puis, je demandai à la vendeuse, d'une voix déterminée : « Pourriez-vous s'il vous plaît envelopper ces colliers dans deux boîtes séparées ? »

Je rentrai chez moi, distribuai mes cadeaux, et fus heureuse de constater que ma mère et ma sœur étaient ravies de ce que j'avais choisi pour elles. Pour moi-même, je rapportais de merveilleux souvenirs. Je ne racontai jamais à personne le petit sacrifice que j'avais fait.

Trois ans plus tard, ma mère fit un voyage en Italie et, elle aussi, revint avec des cadeaux. Ma sœur et moi étions dans la cuisine pour l'accueillir à son retour, quand elle nous tendit à chacune une boîte. Ma sœur ouvrit la sienne en premier : un splendide collier en cuivre. Tandis que je développais ma boîte, je me dis : *Maman nous donne toujours exactement les mêmes cadeaux afin qu'il n'y ait pas de jalousie ; elle m'a sans doute rapporté un collier de cuivre iden-tique.* Mais je me trompais.

À l'intérieur de la boîte je découvris le superbe collier en argent serti de turquoises dont j'étais tombée amoureuse trois ans aupara-vant. C'était exactement le même bijou. *Comment ma mère avait-elle pu deviner ?*

« Maman », dis-je calmement, de la manière la plus désinvolte possible. « Nous as-tu rapporté ces cadeaux... hum... par hasard ?

– Par hasard ? demanda ma mère, intriguée. Que veux-tu dire ?

– Je veux dire... est-ce que cela faisait une différence pour toi que chacune de nous ait un collier en particulier ? Quand tu nous as donné les boîtes, avais-tu l'*intention* de m'offrir le bijou en argent ?

– Ah, mais bien sûr ! s'exclama-t-elle. Tu vois, j'avais écrit vos noms en petit sur chaque boîte afin de me rappeler laquelle était laquelle.

– Mais comment se fait-il que tu m'aies offert celui-là ? insis-tai-je. Habituellement, tu nous donnes exactement la même chose.

–Eh bien, c'est pourtant vrai. » Ma mère haussa les épaules, ma question ne l'ayant apparemment rendue qu'un peu perplexe. « Habituellement, je vous donne *en effet* le même cadeau. Et j'avais effectivement prévu vous donner à chacune le même collier en cui-vre ; il y en avait plusieurs dans la boutique et ils me semblaient très attrayants...

« Mais j'ai ensuite aperçu le collier en argent avec des turquoi-ses dans la vitrine et il a attiré mon attention. J'ai donc décidé d'en acheter un de chaque sorte.

– Mais, maman, insistai-je, comment se fait-il que tu aies choi-si celui-ci pour *moi* ?

– Oh, je ne sais pas, répondit-elle en haussant les épaules, dédaignant ma croissante excitation. Il me faisait tout simplement penser à toi davantage qu'à ta sœur. On pourrait dire que ton nom était bel et bien gravé sur ce collier. »

Commentaire

Même les simples objets empruntent une voie mystérieuse pour atteindre leur âme sœur humaine.

*V*icki Pierson et son mari John avaient toujours regretté d'avoir abandonné leur jeune chien Randy, un setter irlandais.

Celui-ci avait été un fidèle compagnon pour leurs six enfants et une présence réconfortante dans la maison. Cependant, lorsqu'ils déménagèrent dans une nouvelle maison à Sacramento, en Californie, le propriétaire leur dit qu'il n'accepterait qu'un seul chien. Ils avaient un autre chien, un setter beaucoup plus âgé appelé Angel, qui était avec la famille depuis longtemps. Ce fut pour eux déchirant que d'avoir à choisir entre les deux, mais Vicki fit valoir que, comparativement à Randy, Angel avait des chances beaucoup plus minces d'être adopté. *Un jeune chien tout mignon a de bien meilleures perspectives d'avenir qu'un chien âgé*, se disait-elle.

Avec un immense chagrin, mais devant à tout prix déménager, les Pierson durent se résigner à donner Randy en adoption. Lorsqu'ils le virent partir avec son nouveau propriétaire, les enfants pleurèrent à chaudes larmes. Ils étaient inconsolables. *Au moins il a trouvé un bon foyer*, se dit Vicki pour tenter de se rassurer.

Le temps passa, mais le vide laissé par le départ de Randy ne fut jamais vraiment comblé. Les enfants parlaient de lui constamment, on regrettait beaucoup son absence. Quand les Pierson déménagèrent de nouveau, cette fois pour habiter une maison plus grande où ils pouvaient accueillir un deuxième chien, ils décidèrent d'entreprendre des recherches pour trouver un autre chien.

Vicki appela la Irish Setter Rescue League et s'y inscrivit, en se disant disposée à adopter le premier jeune chien disponible. Les jeunes setters irlandais étaient rares, l'avait-on avertie, mais Vicki déclara qu'elle était prête à attendre.

Quelques mois plus tard, une femme de la League la rappela.

« Nous savons que vous avez demandé un jeune chien, dit la femme, mais seriez-vous prête à adopter plutôt un chien plus âgé ? »

Elle raconta en détail les malheurs du chien en question – il était passé d'un propriétaire à un autre, avant d'aboutir à la fourrière – et Vicki fut prise de compassion devant le triste sort qu'avait subi le chien.

« Bien sûr que je vais le prendre ! », dit-elle immédiatement. *Des soins affectueux et la compagnie de six enfants turbulents vont certainement le remettre d'aplomb*, pensa-t-elle.

Il s'appelait Ryan, et il sembla tout à fait à son aise quand il l'a-menèrent à la maison.

En fait, dès la première nuit qu'il passa avec eux, il se donna en quelque sorte un rôle de sentinelle auprès des enfants. Il allait d'une chambre à l'autre, veillant sur leur sommeil.

« C'est super ! », s'exclama John Pierson. « Randy avait l'ha-bitude de faire la même chose. »

Randy aimait aussi se frotter le museau avec le chat de la famille, ce que Ryan se mit à faire lui aussi. Observant la scène avec fascination, Vicky ne put s'empêcher d'être saisie par le tableau qui se déployait sous ses yeux. *Exactement comme Randy*, se dit-elle.

La représentante de la Irish Setter League les avait avertis que, selon ce qu'on leur avait rapporté, Ryan mâchouillait les meubles et les tapis quand il était seul à la maison. Quelques semaines après l'avoir adopté, la famille eut à sortir pour la journée et on n'eut d'autre choix que de laisser Ryan seul. Au retour, Vicki, craignant le pire, se préparait à affronter un désastre. Mais lorsqu'ils ouvri-rent la porte, elle constata avec soulagement que tout était en ordre, exactement comme à leur départ, et que Ryan faisait la sieste comme un bienheureux, couché en rond à la manière de Randy.

Vicki était de temps à autre frappée par les similitudes entre Ryan et Randy, mais elle n'en fit pas de cas jusqu'au jour où ils amenèrent Ryan se promener dans le parc où Randy avait coutume de jouer. Ryan s'élança en quête d'aventures canines et, contraire-ment à son habitude, ne répondit pas aux appels quand ils lui don-nèrent l'ordre de revenir. Il continua sa course et, de crainte qu'il ne se perde, les Pierson coururent après lui... jusqu'à leur ancienne maison, celle-là même où à l'origine avait vécu Randy !

Les Pierson ne pouvaient plus écarter d'un revers de la main leurs doutes et aussi leurs espoirs. Vicki réfléchit longuement à la manière de confirmer l'intuition qu'elle et son mari avaient si fortement ressentie à l'égard de Ryan. Elle se rappela soudain que Randy avait une cicatrice à la patte. Elle appela le vétérinaire et lui demanda s'il pouvait l'aider à établir la vérité. Il rasa une partie de la patte de Ryan et, finalement, tout se confirma. Ryan avait sur la patte exactement la même cicatrice. Ryan et Randy étaient un seul et même chien !

« Randy est de retour ! », s'écrièrent, ravis, les enfants Pierson.

Il y avait toujours eu ce lien solide avec Randy – un attachement que ni le temps ni l'espace ne parvinrent à atténuer. Après deux années d'éloignement et d'adaptation continuelle à de nouveaux milieux, Randy était revenu à son lieu d'appartenance, la maison des Pierson.

Commentaire

La raison ne peut jamais déplacer ce que le cœur garde en mémoire.

*Q*uand le brûlant mois d'août arrive à New York, personne ne veut cuisiner.

Mais même la canicule du mois d'août ne réussit pas à décourager Ellen et Michael Gibson ainsi que leur ami Chuck de préparer un festin de gourmet.

Ils se mirent d'abord tous les trois d'accord sur un menu raffiné. Puis Chuck entreprit de trancher les oignons, tandis qu'Ellen et Michael sortaient faire les courses dans le Sahara qu'était devenu Manhattan.

Ils revinrent une heure plus tard, traînant leurs sacs d'épicerie et ruisselant de sueur. Lorsqu'ils pénétrèrent dans leur immense et anonyme immeuble moderne, ils jetèrent un coup d'œil à leur reflet dans le miroir de l'entrée.

« Regarde-nous ! Nous sommes dans un état épouvantable ! », dit Ellen.

Ils avaient les cheveux en broussaille. Leurs T-shirts et leurs shorts étaient trempés par la transpiration.

Dans l'ascenseur, Michael appuya sur le bouton du 18e étage et déclara : « La première chose que je fais, c'est prendre une douche. »

Transportant leurs sacs, ils atteignirent en titubant leur appartement. Ellen ouvrit la porte en donnant un coup de pied. « Nous voilà ! »

Trente personnes en vêtements de soirée se tournèrent vers eux et les fixèrent du regard. Ellen et Michael en firent autant.

« Qui êtes-vous ? demanda Michael, le souffle coupé.

– Qui êtes-*vous* ? dit une femme impeccablement coiffée, un verre de champagne à la main.

– Nous habitons ici, dit Michael.

– Je suis plutôt convaincue que *nous* habitons ici, répliqua la femme.

– Est-ce bien le 18C ? demanda Ellen.

– Vous êtes en ce moment au 17C, j'en ai bien peur. Je me présente, Susie Smith. Voulez-vous entrer ?

– Oh, non, je m'en excuse, dit Ellen. Je suis vraiment désolée de vous avoir dérangés. Nous ne sommes pas habillés pour une réception, comme vous pouvez...

– Faites-nous le plaisir de vous joindre à nous. » Un homme s'avança vers eux avec un sourire et leur tendit la main. « Je me présente, Rod Smith. Laissez-moi vous offrir quelque chose de frais. »

Oubliant complètement le pauvre Chuck, qui avec loyauté tranchait encore des oignons au 18C, Ellen et Michael Gibson se décidèrent à entrer. Quelques minutes plus tard, ils conversaient avec Rod et Susie Smith comme s'ils se connaissaient depuis toujours. Ils furent surpris de découvrir à quel point ils avaient des choses en commun et prenaient plaisir à être ensemble.

C'était il y a douze ans, et depuis lors les Gibson et les Smith sont les meilleurs amis du monde. Et ils rient encore de bon cœur en pensant à la ridicule coïncidence qui les a réunis par une chaude soirée du mois d'août.

– *Peggy Sarlin*

Commentaire

Dans la vie, tout comme en cuisine, la spontanéité est parfois le meilleur ingrédient. Heureusement, les deux couples ont accepté la surprise du moment, ce qui leur donna accès au banquet d'une amitié durable.

*O*ù que vous alliez, vous vous retrouverez, dit la chanson. Mais dans le cas de Colleen Ryan, les paroles auraient dû être changées pour « Où que vous alliez, vous trouverez Dave Cleary ».

New York est souvent perçue comme une immense métropole impersonnelle où des foules d'étrangers se croisent comme des automates, sans jamais se revoir. Mais pas aux yeux de Colleen. Pour elle, New York était une petite ville où le hasard l'amenait sans cesse à rencontrer Dave Cleary.

Elle le remarqua pour la première fois en attendant l'autobus. Il était difficile de l'ignorer, car c'était un bel homme et il mesurait près de 1m90. Mais ce qui attira son attention, ce ne fut pas sa belle apparence. « Voilà quelqu'un qui a l'air heureux », se dit-elle, sans se rendre compte qu'il la regardait du coin de l'œil en pensant : « Quelle fille exubérante ! »

Au cours de l'automne 1996, Colleen et Dave continuèrent de se remarquer mutuellement dans différents endroits des environs : en train de boire un verre dans un bar avec des amis, faisant la queue à la fabrique de bagels, autour d'une table à la rôtisserie du coin. Peu à peu, leur relation évolua. Lorsqu'ils se croisaient dans un autobus ou sur le trottoir, ils ne faisaient plus mine de s'ignorer. Au lieu de cela, ils se faisaient un rapide et presque imperceptible signe de la tête, comme pour dire « Hé, toi ! Je te connais un peu. » Les amis de Colleen se mirent à la taquiner au sujet du « garçon de l'autobus », tandis que les amis de Dave commençaient à faire des plaisanteries à propos de la « jolie fille qui habite mon quartier ».

Un matin de juin, en 1997, Colleen entra dans l'ascenseur qui menait à son bureau. Habituellement, c'était l'heure de la bousculade où tous les gens s'entassaient dans l'ascenseur. Mais, ce matin-là, une seule personne y entra : Dave Cleary. Elle le regarda avec stupéfaction, et les portes se refermèrent. C'était la première fois qu'ils se retrouvaient seuls.

« Je ne crois pas que nous ayons été présentés officiellement, dit Dave. Je m'appelle Dave.

« – Moi, c'est Colleen », dit-elle.

L'incident fut clos, mais lorsqu'elle y repense, Colleen se dit que Dieu s'y était alors pris de cette manière pour leur dire qu'ils devraient l'un et l'autre faire connaissance.

Deux mois passèrent avant qu'ils ne se croisent de nouveau, cette fois dans l'autobus. Dave était avec un ami, et tous les trois se mirent plaisamment à bavarder. « Qui est-ce ? », demanda l'ami de Dave aussitôt que Colleen fut descendue. « Pourquoi ne l'invites-tu pas à sortir avec toi ?

– Mais je ne la connais pas vraiment, répondit Dave. C'est seulement quelqu'un que je croise de temps en temps.

– Et puis après ? », dit son ami.

Et il en fut ainsi. Colleen avait mentionné l'endroit où elle travaillait au cours de leur conversation dans l'autobus. Dave appela à son bureau, demanda à parler à une Colleen portant un tailleur rose et l'invita à déjeuner.

Dès leur premier rendez-vous, il découvrirent qu'ils avaient beaucoup de choses en commun. Ils habitaient à trois pâtés de maisons l'un de l'autre. Ils travaillaient dans le même immeuble depuis cinq ans. Ils adoraient tous les deux le golf, se rendaient dans le Massachusetts tous les dimanches et étaient maniaques de la propreté.

« J'ai toutefois un passe-temps plutôt étrange », confessa Dave. « Je joue de la cornemuse. »

Colleen poussa un cri. Sa famille entière pratiquait la danse irlandaise et, pour elle, un air de cornemuse surpassait n'importe quel rock 'n' roll.

Quand leur idylle devint plus sérieuse, le temps fut venu de présenter Dave à la famille de Colleen. Autre signe de leur affinité, la réunion familiale eut lieu à un endroit on ne peut plus commode : l'appartement de Dave était situé directement en face de celui de l'oncle et de la tante de Colleen, et exactement au même niveau. Au cours de la soirée, la grand-mère de Colleen, âgée de 98 ans, manifesta le désir d'entendre des airs de cornemuse. Dave fit un saut de l'autre côté de la rue. Il revint une heure plus tard, vêtu de tous les atours traditionnels d'un joueur de cornemuse, prêt à se plier aussi longtemps qu'il le faudrait à toutes les demandes de grand-maman. Sa famille le reconnut avec bonheur : c'était l'homme dont Colleen pouvait rêver.

À leurs noces, en décembre 1998, Dave joua de la cornemuse et Colleen dansa joyeusement avec ses sœurs. « Je ne peux le croire », dit-elle. « Je suis mariée avec un étranger que j'ai rencontré dans un autobus ! »

– *Peggy Sarlin*

Commentaire

Parfois les miracles surviennent quand nous sommes prêts à les accueillir. Dave et Collen avaient travaillé dans le même immeuble et emprunté le même ascenseur pendant cinq ans. Pour une raison ou pour une autre, ils ne s'étaient jamais encore remarqués. Cela tient peut-être au fait qu'ils étaient tous les deux engagés avec d'autres personnes.

Ces relations se sont terminées, affirme Colleen, « et c'est alors que tout a commencé. Nous nous sommes mis à nous croiser partout où nous allions. Vous savez, peut-être que ça n'aurait pas fonctionné si je l'avais rencontré cinq ans plus tôt. Nous avons tous les deux beaucoup vécu et beaucoup appris avec d'autres personnes. Tout ce que je sais, et cela ne fait pas de doute, c'est que maintenant ça fonctionne ! »

*N*ous avons attendu pendant longtemps avant d'avoir des petits-enfants. Lors d'une noce, un mercredi soir de juin, une amie dans la même situation (son fils était marié mais n'avait pas d'enfants) me demanda si Shoshana, notre fille aînée, pensait à l'adoption. Sans réfléchir, je lui répondis : « Oui. Une de ses amies au Texas va bientôt avoir un bébé et il sera pour elle et David. »

Je prononçai ces mots de manière désinvolte, mais je cherchai ensuite mon souffle, incrédule. D'où me venait cette remarque ? À ma connaissance, il n'y avait aucune adoption en vue. Rien d'ailleurs ne pouvait me porter à le croire. Cette déclaration tombait du ciel, inopinément et sans aucune logique.

Mais à peine deux jours plus tard, le vendredi matin, Shoshana appela au lever du jour, du Midwest où elle habitait, pour annoncer qu'une amie du Texas venait de donner naissance à un petit garçon. Elle et David se trouvaient à l'aéroport, attendant leur vol vers Houston afin d'aller le chercher.

À ce moment-là, la prédiction que j'avais faite deux jours auparavant s'était effacée de mon esprit. Dans l'excitation du moment, j'oubliai de lui demander « Où et comment puis-je vous joindre ? » Je fus coupée de tout contact avec notre nouveau petit-fils, jusqu'à cette nuit où je me réveillai avant l'aube. J'aperçus mon défunt oncle Ben debout au pied du lit, et il *réclamait* que l'on donne son nom au nouveau-né.

L'oncle Ben, décédé depuis environ 25 ans, n'avait jamais rien exigé. C'était un homme profondément doux ; lui-même sans enfants, il prenait un réel plaisir à gâter généreusement ses nièces et ses neveux. Mais comme il n'avait pas d'enfants, il ne laissa derrière lui ni héritier ni lignée portant son nom. Cette nuit-là, je sentis une pression qui me fit peur ; on aurait dit qu'il fallait absolument que l'enfant reçoive la faveur et le nom de l'oncle Ben pour grandir en santé.

J'étais convaincue que Shoshana n'accepterait pas. Elle avait mentionné longtemps auparavant que son fils s'appellerait Noah, et elle considérerait sûrement mon histoire comme sortie tout droit du *Violon sur le toit*.

« Laisse aller les choses », me disaient mes amis. Je fis part de mon trouble à mon mari. « Oublie ça », me disait-il. Pas une âme ne prenait pour l'oncle Ben.

Le bébé était né six semaines avant terme et on n'allait lui donner un nom qu'un mois plus tard, quand la famille se réunirait pour la circoncision. Mon mari, dans l'espoir que je me calmerais, demanda à Shoshana de ne pas divulguer le nom du bébé avant cette date, affirmant que cela lui « porterait chance ».

Je dus subir une intervention chirurgicale mineure quelques jours avant la circoncision. Ma fille Naomi vint de l'extérieur de la ville pour me voir et assister à la cérémonie.

« Si quelque chose devait m'arriver, dis-je à Naomi, j'aimerais que tu dises à Shoshana que mon désir était que le bébé s'appelle Benjamin. »

Naomi me regarda bouche bée et écarquilla les yeux.

« Tu ne savais pas ? », dit-elle. « Il s'appelle Ben depuis le jour de sa naissance. »

– Frieda Englard

*Q*uelle situation embarrassante ! Approchant petit à petit du poste de péage du pont Verrazano-Narrows de Staten Island, à New York, Morris Benun venait de fouiller dans ses poches à la recherche de son portefeuille pour s'apercevoir avec consternation qu'il ne s'y trouvait pas. Tandis que la longue file de voitures traversait lentement l'aire de péage, Morris passa en revue le tableau de bord, les sièges et le plancher en dessous de lui. Pas de portefeuille.

Comment allait-il payer son passage et rentrer chez lui ?

Morris parcourut anxieusement des yeux les voitures qui se suivaient en un ruban interminable jusqu'au poste de péage, cherchant un visage familier.

La chance était de son côté.

Dans une voiture, à plusieurs voies de distance, se trouvait un homme que Morris connaissait vaguement : David Mamiye. Morris arrêta sa voiture, se faufila à travers les voies qui le séparaient de David et lui expliqua précipitamment son dilemme. David sortit son portefeuille de bonne grâce. Il prit une pièce et la tendit à Morris avec un large et chaleureux sourire.

« Ça m'a fait plaisir de te tirer d'embarras, dit-il à Morris.

– Hé, merci ! La prochaine fois que je te verrai, je ne manquerai pas de te rembourser, dit Morris en reprenant sa course vers sa voiture.

– Oublie ça ! cria David. Hé ! Ce n'est qu'un dollar ! »

Douze ans plus tard, Morris quittait le Mount Sinai Hospital, à Manhattan, après avoir rendu visite à sa femme, qui venait d'accoucher. Lorsqu'il s'approcha de sa voiture, il constata avec mauvaise humeur qu'il venait d'éviter de justesse l'offensive d'un agent du ministère des Transports qui distribuait des contraventions aux voitures dont le temps au parcomètre était expiré. Morris jeta un regard à la voiture garée derrière la sienne et vit que son temps était expiré. Du coin de l'œil, il observa l'agent qui s'approchait d'un air déterminé.

Ce serait dommage que cette personne se retrouve avec une contravention de 50 dollars, pensa-t-il.

Impulsivement, au moment même où l'agent s'avançait vers la voiture, il sortit de sa poche quatre pièces de 25 cents et les glissa dans le parcomètre.

À cet instant, le propriétaire inconnu de la voiture s'approcha aussi, captant la scène qui se déroulait sous ses yeux : l'approche rapide de l'agent et le coup préventif de Morris, qui glissait en vitesse les pièces de 25 cents dans la fente.

« Hé ! Merci beaucoup ! », dit David Mamiye, que Morris n'avait pas vu depuis douze ans.

Ils se regardèrent, stupéfaits et impressionnés.

David sortait lui aussi du Mount Sinai, où il avait rendu visite à *sa* femme qui venait d'accoucher.

Ils sourirent de manière entendue, se souvenant tous les deux du dollar échangé sur le pont Verrazano-Narrows – le dollar que Morris n'avait pas encore eu l'occasion de rembourser.

Jusqu'à ce jour-là.

« Hé ! Un service en appelle un autre ! », s'exclama joyeusement Morris en serrant la main de David avant de reprendre sa route.

*I*ls étaient aussi pauvres que des souris d'église. L'expression « souris de synagogue » serait peut-être plus juste car, après tout, ils étaient juifs. En tant que « reconvertis au judaïsme » (le terme approprié en hébreu est *baalei teshuva*), ils avaient renoncé au milieu juif séculier et assimilé d'où ils provenaient et choisi d'adopter un mode de vie plus fervent et religieux.

Quand ils renièrent leurs racines, leurs parents bien nantis les renièrent, *eux*, à leur tour, les coupant de leurs familles respectives et les éliminant de la liste de leurs héritiers. Quand ils décidèrent de se marier, la noce se déroula en toute rigueur et simplicité. Pour eux, pas question d'opulence à la *Goodbye Columbus*[6]. Pas de tables ployant sous les victuailles ni de pâtés de foie minutieusement travaillés pour former des pièces montées. Tout fut sous le signe de la simplicité et de la sobriété.

La noce avait semblé suffisamment modeste et sans apparats mais, en comparaison, les *sheva brochos* (les sept soirées de fête qui suivent traditionnellement la noce) furent carrément austères. Le premier soir, du hareng et des craquelins furent servis chez un ami, dont l'appartement misérable se trouvait dans un sous-sol. Mais si l'environnement immédiat était, disons, limité, la joie et le bonheur étaient présents à profusion et vibraient sans retenue dans le minuscule et modeste espace. Ce qui manquait sur le plan de l'aisance matérielle était plus que compensé par la splendeur spirituelle qui rayonnait dans toute la pièce. Quand vint l'heure du départ, cependant, nulle limousine, aucune voiture ni même un taxi ne les attendait, comme cela est pratique courante au sein de la communauté juive. Au lieu de cela, ils prirent humblement le métro.

Ils prirent donc la ligne A, qui les menait de Washington Heights jusque chez eux dans Brooklyn, traversant à une heure tardive quelques quartiers dangereux. Mais ils ne se souciaient guère de l'environnement autour d'eux ; ils n'avaient d'yeux que l'un pour l'autre, des yeux brillants de lumière.

« Ma très chère femme », dit le mari follement amoureux. « Comme j'aimerais te couvrir de superbes bijoux et des plus beaux vêtements... Comme je voudrais t'amener passer une vraie lune de miel dans un endroit luxueux... Si au moins, dit-il en pleurant de frustration, je pouvais t'amener tout de suite... durant le *sheva brochos*... à un somptueux et luxueux hôtel où la beauté de ton âme trouverait son reflet dans la beauté des lieux. Ça me fait mal que nous ayons maintenant à rentrer dans un endroit aussi miteux et exigu ! J'ai l'impression de ne pas avoir été à la hauteur en ne t'offrant pas ce que la plupart des mariés offrent à leur femme.

– Mon cher mari, dit-elle doucement, ne lit-on pas dans les écritures que, lorsque l'amour est présent, deux personnes peuvent vivre sur la tête d'une épingle ? Tu es tout ce dont j'ai besoin.

– Tu es aussi tout ce dont j'ai besoin, ma douce âme sœur. Mais j'aimerais bien malgré tout... » Il se mordit les lèvres, contrarié.

À ce moment précis les portes du métro s'ouvrirent et leur intense concentration fut troublée par un noir en haillons et à la barbe en bataille qui venait d'entrer dans le wagon en chantonnant. Ils remarquèrent, en passant, qu'ils étaient à la hauteur de la 125e Rue, à Harlem.

L'homme semblait hébété, dans les vapeurs de l'alcool, et ils furent un peu décontenancés. Il était passé minuit, et il n'y avait qu'eux dans le wagon.

L'homme alla tout droit vers la poignée de cuir qui pendait au-dessus de leur siège et baissa vers eux un regard intense. Il se mit à ricaner.

« Hé ! Mon frère, ma sœur ! », s'écria-t-il. « Est-ce que vous êtes *amoureux* ? »

Ils lui répondirent poliment : « Nous nous sommes mariés hier soir.

– Oh là là ! Hier soir ! siffla-t-il. Ça, c'est quelque chose. Mon frère, ma sœur, je vous félicite !

– Merci, répondirent-ils avec courtoisie. Et *vous*, comment allez-vous ce soir ?

– Oh, ça va, ça va, merci. Ça ne pourrait pas aller mieux. Ça me fait du bien de voir deux personnes en amour. Comment vous êtes-vous rencontrés ? »

La conversation se continua ainsi, dans un sens et dans l'autre, jusqu'au centre de Manhattan. Tous les deux avaient vu leurs craintes immédiatement s'effacer face à l'homme et ils lui parlèrent comme à n'importe qui, sans s'arrêter à son haleine alcoolisée. C'était, après tout, un être humain, exactement comme eux. À la 42e Rue, il leur dit au revoir et se dirigea vers les portes. « Hé ! Ça a été bien agréable de parler avec vous ! », ajouta-t-il en faisant ses adieux. « Je vous trouve sympathiques, les jeunes. »

Soudainement, au moment où les portes se refermaient derrière lui, il se retourna et cria : Hé ! Attrapez ! C'est un cadeau de mariage ! »

Il lança rapidement un petit sac à provisions dans leur direction. Le mari eut le réflexe d'ouvrir les bras et d'attraper le paquet, mais lorsqu'il se retourna vers l'homme pour lui demander de quoi il s'agissait, celui-ci avait disparu. Le métro s'était déjà mis en mouvement et il était trop tard pour lui redonner le sac. Le couple courut à la fenêtre pour voir s'ils ne pouvaient pas repérer l'homme à distance, mais il s'était déjà volatilisé.

« Essayons de deviner avant de l'ouvrir », proposa le mari en plaisantant. « Que crois-tu qu'il contient ?

– Des journaux ? suggéra sa femme. Des boissons gazeuses ? Des vêtements ? »

Il y avait dans le sac 500 dollars en argent comptant.

Ils se regardèrent avec stupéfaction.

« Eh bien, dit lentement le mari, descendons au prochain arrêt et trouvons-nous un de ces magnifiques et opulents hôtels dont je viens de parler.

– Je ne comprends pas », dit sa femme dans un mouvement de tête perplexe. « Il portait des vêtements en lambeaux, comme un vagabond… il avait l'air d'un sans-abri… il était ivre… comment pouvait-il avoir 500 dollars sur lui et pourquoi nous les a-t-il donnés à *nous* ? »

« Qui *était* ce type ? », se demanda-t-elle à voix haute.

Le mari, aussi perplexe que sa femme, retourna la question dans sa tête et finit par dire :

« Selon la légende, le prophète Élie se déguise en pauvre voyageur et se promène parmi les gens ordinaires pour réaliser de bonnes actions.

– Qu'en savons-nous ! Que sait vraiment chacun de nous ?

– Peut-être venons-nous de rencontrer le prophète Élie sans même le reconnaître. »

– Récit raconté à l'origine par le rabbin Shlomo Carlebach, repris par Yitta Halberstam

Commentaire

Les messagers de Dieu sont parfois difficiles à reconnaître, mais leur message est indubitablement clair.

---

[6] NDT. Référence probable au livre *Goodbye, Columbus*, de l'écrivain Phillip Roth, qui relate des épisodes de la vie d'une famille juive bien nantie.

*E*n 1965, le 6e bataillon du Royal Australian Regiment se joignit aux forces américaines en combat au Vietnam. Plusieurs des jeunes soldats australiens prirent part (aux côtés des troupes américaines) à la bataille de Long Tan, le combat de jour le plus important et le plus long que menèrent les Australiens au Vietnam.

Chaque soldat, de quelque pays qu'il fut, recevait la même trousse de base avant de partir au combat : des bottes, une tenue en treillis, un casque de camouflage et la fameuse plaque d'identification sur laquelle étaient inscrits tous les renseignements personnels essentiels concernant le soldat. Les soldats qui eurent le plus de chance revinrent chez eux avec leur plaque après la guerre et la conservèrent en souvenir. Parfois, tragiquement, la plaque d'identification était retournée à la maison du soldat sans son courageux propriétaire.

Trente ans après la guerre, vingt-neuf ex-militaires de ce même régiment australien décidèrent de retourner au Vietnam afin de reconstituer ce qu'ils avaient vécu individuellement pendant la guerre. Plusieurs parmi eux éprouvaient encore des sentiments troubles liés aux horreurs qu'ils avaient subies. Dave Newsome voyait son année au Vietnam comme un cauchemar de douze mois. Il aurait de beaucoup préféré pendant cette période être témoin de la première année de son fils récemment venu au monde.

Dave se disait qu'il pourrait peut-être se libérer de ses souvenirs tourmentés en retournant à l'endroit où son cauchemar avait eu lieu. Lui-même, son ami Martin Abbey et plusieurs autres compagnons d'armes réservèrent donc leur place sur un vol à destination du Vietnam et réussirent à retrouver l'endroit exact où ils s'étaient battus avec fureur trente ans auparavant. Ils se promenèrent sur le terrain, en se souvenant de leurs camarades morts ou estropiés. Ils étaient profondément reconnaissants d'avoir pu retourner chez eux, vivants et bien portants, auprès de leurs êtres chers.

Un jeune Vietnamien s'approcha d'eux à bicyclette. Il en descendit lestement et se dirigea vers David. Tendant la main, il lui montra un petit objet de couleur argent. David se tenait devant lui, déconcerté, et pensait : « Pourquoi ce gamin vietnamien m'a-t-il choisi ? » Il regarda dans la main du garçon et aperçut, considérablement endommagée, une plaque d'identification semblable à celles que portaient les vétérans du Vietnam. « For sale »[7], dit-il dans un anglais forcé. Dave retourna la plaque dans sa main pour voir quel nom y était inscrit, en se demandant quel pauvre soldat avait quitté ce monde ou, dans le meilleur des cas, était retourné chez lui en laissant sa plaque derrière lui. Dans un cas comme dans l'autre, il s'attendait à y lire un nom inconnu, un nom parmi les millions d'hommes ayant combattu dans cette effroyable guerre.

Dave regarda la plaque de plus près pour mieux lire l'inscription. Il recula alors d'un pas, comme si un coup de vent l'avait poussé, et tenta de reprendre son souffle. « C'est incroyable ! Les gars, regardez ça ! C'est écrit David Newsome ! » Il continua à lire, reconnaissant tous ses renseignements personnels.

« Quand as-tu trouvé cela ? ! », demanda-t-il au jeune garçon.

– Mon père, répondit celui-ci. Il a trouvé et m'a donné. Il dit des gens vont l'acheter. »

Dave était retourné à une époque tourmentée de son passé pour récupérer un morceau de lui-même qu'il avait laissé derrière. Il était maintenant là, entouré de ses compagnons, et tenait ce morceau au creux de sa main.

7 NDT. À vendre.

*R*upert Hiztig avait toute la fougue de ses 19 ans lorsque, l'été suivant sa première année à l'université, il partit à l'aventure en Europe avec ses copains, David et John. La première étape de cette aventure fut l'Espagne, où ils assistèrent à la Fiesta de San Fermín, connue aussi comme la « Course avec les taureaux ». Ils voyagèrent ensuite en France, en Allemagne, puis au Danemark.

Rupert s'arrêta à cet endroit… car il y rencontra une charmante Danoise appelée Uta. Il s'attarda donc au Danemark, tandis que David et John continuaient leur route afin de visiter le Louvre, à Paris.

Les jours passèrent, Rupert et Uta se plaisaient à être ensemble, et Rupert perdit la notion du temps et de l'argent. Il réalisa tout d'un coup que son vol de retour vers Boston et l'université était dans moins de deux jours et qu'il ne lui restait plus que 18 $ en poche. Rupert fit hâtivement ses bagages, dit au revoir à Uta avec les larmes aux yeux et traversa l'Allemagne en faisant de l'auto-stop pour attraper son vol à Paris. Une fois à Paris, abasourdi et éreinté par tous ses déplacements, il apprit avec stupéfaction que son avion avait déjà décollé, à peine deux heures plus tôt. En fouillant dans ses poches, Rupert découvrit qu'il ne lui restait maintenant plus que 8 $, et aucun moyen de rentrer chez lui, de retourner voir Uta ou de se renflouer.

Il était donc là… un adolescent, seul, en France, sans argent et sans billet de retour. Rupert se sentit complètement perdu, sur le bord des larmes. Prenant son courage à deux mains, il se mit à parcourir les rues animées du coin de Paris où il était. Au moment où il allait tomber de fatigue, il remarqua une minuscule enseigne accrochée devant un petit hôtel et qui promettait un lit, un repas et un bain pour seulement 8 $ – exactement le montant qu'il avait dans ses poches. N'ayant nulle part ailleurs où aller et ne sachant pas quoi faire d'autre, Rupert entra avec plaisir dans le pittoresque petit établissement.

Une vieille femme au dos voûté était assise derrière un bureau.

« I need… a… room »[8], dit lentement Rupert, en parlant clairement et en projetant la voix. Il espérait que la femme comprendrait son anglais.

« Monsieur », répondit celle-ci d'un ton calme, en tournant vers lui le registre afin qu'il le signe. Rupert inscrivit d'une écriture claire et lisible RUPERT HITZIG, puis retourna le registre vers la femme.

Elle lut le nom, inclina la tête et dit avec un fort accent français : « Hitzig ? Another Monsieur Hitzig is here[9].

– Quoi ? s'exclama Rupert. C'est impossible. » *Après tout, se dit-il en lui-même, combien y a-t-il de Hitzig ? C'est un nom tellement rare. Et qu'est-ce qu'il pourrait bien faire ici ?*

« Quel est le prénom de l'autre M. Hitzig ? demanda Rupert.

– Peter, répondit la femme.

– *Peter ?* s'écria Rupert. C'est mon frère ! »

Rupert ne savait même pas que Peter était en Europe, et voilà que son frère aîné se trouvait exactement dans le même hôtel que lui ! Il resta d'abord sidéré, tentant de retracer mentalement le cours des événements qui avaient conduit à ce moment remarquable. Ce à quoi il pensa ensuite fut… *de l'argent !… Je parie qu'il a de l'argent !*

« Dans quelle chambre Peter est-il ? », demanda Rupert, envahi par un mélange d'émotions.

« La chambre 420 », répondit la femme, en souriant au garçon nerveux qui se tenait devant elle.

Quelques instants plus tard, Rupert cognait avec une ferveur déchaînée à la porte de la chambre 420, incapable de contenir sa hâte de voir la surprise de son frère et de célébrer leurs heureuses retrouvailles. Après une attente qui sembla durer des siècles, Peter ouvrit la porte, regarda impassiblement ce visage familier aux yeux écarquillés et, en bon frère aîné, grogna ces tendres paroles : « Qu'est-ce que TU veux ? »

[8] NDT. « J'ai besoin… d'une… chambre. »
[9] NDT. « Hitzig ? Il y a ici un autre monsieur Hitzig. »

*C*haque religion a ses lieux saints, ses espaces sacrés, ses sites consacrés. Pour les pèlerins, ces endroits sont remplis de la présence divine. Même l'atmosphère y vibre d'une énergie spirituelle, et l'on croit que les demandes et les prières y sont particulièrement entendues.

Dans le judaïsme, le lieu saint le plus célèbre est le Mur des lamentations, à Jérusalem. Mais il existe en Israël – en Galilée, près de l'ancienne ville de Safed – un autre endroit moins connu, une terre sauvage et éloignée, où vont aussi certaines personnes. Malgré la difficulté du voyage, elles s'y rendent fidèlement chaque année par milliers, dans l'espoir d'un miracle particulier. Le miracle de l'amour.

Car Amuka, le lieu mystique où fut enterré le rabbin Yonatan Ben Uziel, est le sanctuaire légendaire où les hommes et les femmes qui ne sont pas mariés se retirent en dernier recours. On croit qu'Amuka répond en particulier aux supplications des célibataires, qui se plongent dans la prière près de la sainte tombe du sage. Avant de mourir, le rabbin Ben Uziel avait dit à ses disciples que, lorsqu'il arriverait au ciel, il se consacrerait lui-même à la mission de réunir les célibataires esseulés. Cette légende a fait d'Amuka un endroit populaire où s'arrêtent les hommes et les femmes désireux de se marier et de trouver un partenaire.

C'est ainsi qu'ils arrivent, le découragement écrit dans les yeux, mais avec une dernière lueur d'espoir au fond du cœur.

Rachel Strauss* avait 45 ans. Quelques-unes de ses anciennes compagnes de classe attendaient déjà leurs premiers petits-enfants. Les gens lui reprochaient d'être « trop difficile », et ces remarques impolies et sans délicatesse la blessaient. Elle cherchait une âme sœur, un semblable, celui qui serait « l'homme de sa vie ». Et, malgré son âge, elle refusait de faire des compromis.

Sa mère était d'avis qu'elle ne faisait pas suffisamment d'efforts. Un jour, Rachel éclata : « Pas assez d'efforts ! D'accord. Je vais faire toute cette pénible route jusqu'à Amuka, en Israël, et je vais prier jusqu'à m'en vider le cœur. Est-ce assez d'efforts pour toi ? » Comme pour plusieurs, c'était pour Rachel une mesure de dernier recours.

Elle était gênée de son propre désespoir ; elle ne pouvait croire qu'elle allait rejoindre les rangs des âmes en peine qui convergeaient à cet endroit. À l'intérieur d'elle-même, elle se sentait sceptique.

Une fois à Amuka, elle fut conduite du côté des femmes (dans les lieux saints juifs, les hommes et les femmes prient dans des aires séparées) et on lui remit un livre de prières. Malgré elle, et malgré ses propres réserves intérieures, elle sentit s'éveiller l'émotion tandis qu'elle priait. Les larmes lui montèrent aux yeux et elle pria comme jamais elle n'avait prié auparavant. Il lui sembla avoir ainsi prié pendant une éternité quand, soudainement, quelque chose la sortit de sa rêverie et lui fit lever les yeux.

De très loin, de l'autre côté de l'aire de prière, un jeune homme la regardait avec un intérêt intense. Malgré sa timidité et sa réserve habituelles, elle se sentit irrésistiblement poussée, au-delà de sa volonté, à lui retourner son regard. Leurs yeux restèrent rivés.

Rachel sentit un courant électrique traverser son corps, tout son être. Elle ne pouvait détacher son regard de celui du jeune homme. Ils se regardèrent pendant un long moment. Finalement, elle se secoua pour se libérer de l'état hypnotique dans lequel elle était entrée et baissa les yeux en signe de modestie. Elle continua ses prières. Quand elle eut terminé, elle releva les yeux et chercha le jeune homme. Il était parti.

La déception lui fit baisser les épaules. Elle avait espéré contre toute attente que la mystérieuse force qui l'avait engloutie aurait eu pour lui aussi une signification. Laissant libre cours à son imagination, elle avait espéré le trouver en train de l'attendre près de la section des femmes. Il lui aurait alors dit : *C'est donc toi ? Celle dont j'ai prié la venue durant toute ma vie ?*

Mais il n'était pas là à l'attendre, et elle s'en voulut d'avoir lu trop de romans d'amour. *Je suppose que c'était l'œuvre de mon imagination*, conclut-elle tristement. *Ou de mon désespoir. Aller croire que la magie d'Amuka peut opérer immédiatement... ce que je peux être pitoyable !*

Trois semaines plus tard, alors que Rachel était de retour aux États-Unis, une marieuse appela sa mère pour lui parler d'un fantastique jeune homme que Rachel, soutenait-elle, aurait tout avantage à rencontrer.

« Mère, dit Rachel, je suis désolée. Je sais que cela vous brise le cœur de me voir seule et célibataire, mais je ne peux pas aller à un autre rendez-vous arrangé. Je n'en suis plus capable.

– Je t'en prie, Rachel, supplia sa mère. Une seule et dernière fois. Mme Schnick* ne cesse de chanter ses louanges ; s'il te plaît, essaie une dernière fois pour moi, tu veux bien ma chérie ? »

Rachel soupira. Elle savait à quel point son célibat était une source d'angoisse pour sa mère.

« Le dernier rendez-vous arrangé ? demanda-t-elle à sa mère.

– Le dernier rendez-vous arrangé », promit celle-ci.

En effet, ce fut le dernier.

Car, se tenant sur le seuil quand elle s'élança vers la porte pour accueillir l'inconnu, se trouvait nul autre que le jeune homme d'Amuka, celui dont les yeux s'étaient rivés aux siens, celui qui l'avait fait frémir de reconnaissance.

Encore une fois, ils se regardèrent, bouleversés, se reconnaissant, et il finit par briser le silence. Il dit en souriant : « Je crois que nous nous sommes déjà rencontrés. »

Les mots qu'il voulait vraiment lui dire, lui apprit-il beaucoup plus tard, il avait dû les retenir, car ils n'auraient pas été appropriés de la part d'un homme de sa religion. Ils auraient semblé trop audacieux, trop axés sur le flirt, lui avoua-t-il après qu'ils furent mariés.

Mais ce qu'il voulait vraiment lui dire quand elle ouvrit la porte, c'était les mêmes mots qu'elle avait entendus résonner dans tout son être à Amuka :

C'est donc toi ? Celle dont j'ai prié la venue durant toute ma vie ?

Commentaire
Une vie entière à attendre semble être un petit prix à payer pour un amour vraiment éternel.

$\mathcal{J}$l les appelait les « petits anges » et nous incitait à les traiter avec respect et sympathie. Mais bien avant ma première leçon de compassion auprès de mon maître spirituel, je ressentais déjà une affinité particulière avec les mendiants qui se tiennent au coin des rues dans les secteurs les plus riches de New York, implorant de leurs grands yeux troublés les passants qui circulent d'un pas pressé : « Auriez-vous un peu de monnaie ? »

Des « postes de péage humains », avait un jour dit d'eux pour les décrire un journaliste cynique, outré de voir leur nombre augmenter et irrité d'avoir à subir cette continuelle violation de son intimité.

Mais je sentais les choses autrement. J'avais connu un type – un professionnel honnête, respectable et prospère – qui avait eu un jour une dépression nerveuse et avait disparu de chez lui, pour être retrouvé une semaine plus tard par des détectives alors qu'il vivait sur les voies de chemin de fer souterraines du Grand Central Terminal. Cela changea irrévocablement ma façon de voir la vie.

« Si ça lui est arrivé, ça peut arriver à n'importe qui », me soufflait une voix à l'intérieur de mon âme. « Es-tu assez prétentieuse pour te croire à l'abri des vicissitudes de la vie ? »

« *Cela aurait aussi bien pu être moi* » devint ma devise dans la vie, et à partir de ce moment je me mis à regarder les âmes en difficulté avec un œil plus doux, plus tendre.

En accord avec les enseignements de mon maître spirituel, je ne donnais donc jamais moins de un dollar à ces mendiants. Comme je travaillais dans Greenwich Village, où ils semblent se concentrer (peut-être parce que les habitants de ce quartier sont reconnus pour leur libéralisme et leur grande tolérance à l'égard de la différence), j'eus de nombreuses rencontres avec ces âmes tragiques.

Il n'était pas rare que dans la journée plusieurs dollars quittent mon sac à main pour se retrouver dans leurs mains tendues. Quand cela commençait à me paraître exagéré, je me faisais le reproche : *Hésiterais-tu un instant à t'acheter un jus de légumes (3,50 $), une* *pizza et une boisson gazeuse (2,25 $), quelques magazines pour lire pendant le week-end (10 $) ? Est-ce que tout cela est plus important que le fait que cet homme puisse prendre un repas décent ?*

Et alors, afin de m'encourager à éprouver davantage de compassion, je me répétais en sourdine ma devise préférée : « *Cela aurait aussi bien pu être moi.* »

Un soir, j'étais à l'extérieur de l'immeuble où se trouve mon bureau, au coin de la 12e Rue et de Broadway, et j'attendais que mon mari passe me prendre en voiture. Fidèle à ses vieilles habitudes, il était en retard. Les ombres de la nuit commençaient à se rapprocher, et des créatures à l'allure étrange (cheveux hérissés, vestes de cuir cloutées, cheveux violets, triples anneaux au nez et tatouages à profusion) que je ne voyais pas d'habitude pendant la journée se mirent à remplir les rues. Je me concentrai avec détermination sur les qualités et les multiples mérites de mon mari pour me distraire du fait que son retard coutumier me plaçait dans une ennuyeuse situation.

« S'il vous plaît, m'dame, auriez-vous un peu de monnaie ? » La voix, douce et suppliante, me sortit de ma rêverie.

Un mendiant se tenait devant moi, avec ses vêtements en lambeaux, s'exprimant d'une manière calme, comme en s'excusant. Ses yeux étaient doux, aimables, gentils. Malgré sa vie difficile, son visage était lumineux et rayonnant. Un genre d'aura émanait de lui et faisait que je me sentais en sécurité. Je sus immédiatement ce que mon maître spirituel voulait dire par son appellation incongrue, les « petits anges ». L'homme devant moi appartenait certainement à cette catégorie.

Je fouillai dans mon sac à main et commençai à sortir un billet de un dollar. Celui-ci se trouvait juste à côté d'un billet de cinq dollars. Je sentis le début d'un tiraillement intérieur.

Hé, un dollar est bien assez ! se pressait à dire une voix en moi. *Combien de personnes donnent même autant ? Ne sois pas stupide ; donne-lui un dollar, c'est plus qu'assez.*

Hé, me reprochait une autre voix intérieure, *tu t'apprêtes à aller dîner avec ton mari dans un luxueux restaurant. L'addition va sans doute s'élever à plus de cinquante dollars. Ce pauvre homme brisé ne mérite-t-il pas lui aussi de manger ?*

Je lui donnai le billet de cinq.

Sa bouche se plissa en un large sourire et ses yeux s'illuminèrent.

« Oh, merci, m'dame ! », dit-il avec effusion. « Vous ne pouvez pas savoir ce que ça peut signifier pour moi. Je n'ai pas eu de vrai repas depuis des jours. »

Je hochai la tête pour acquiescer et il commença à s'éloigner. Une minute plus tard, il fit demi-tour et revint à côté de moi.

« Je voulais encore vous remercier et vous serrer la main », annonça-t-il avec magnanimité, en tendant le bras d'une manière presque chevaleresque. Je regardai en hésitant sa main crasseuse. Il était évident que cette main n'avait pas été lavée depuis plusieurs jours et il était aussi évident qu'elle avait fouillé dans les poubelles et les déchets. Je pensai aux bactéries, aux germes et aux matières toxiques qui pourraient se transmettre de sa main à la mienne.

Je pensai aussi à l'humiliation qu'il ressentirait si je repoussais sa tentative de recouvrer la grâce, l'humanité à laquelle il avait renoncé depuis longtemps. Ma tête cria « Refuse ! », mais mon cœur ne voulut pas l'entendre.

Je tendis la main avec hésitation, et il me rendit une poignée de main ferme et chaleureuse. Il sourit de nouveau et s'en alla.

Et puis il revint encore une fois.

« Comment vous appelez-vous ? », demanda-t-il doucement.

J'étais décontenancée. Pendant toutes ces années où j'avais distribué de l'argent aux mendiants de New York, la plupart m'avaient remerciée, quelques-uns avaient soulevé leur chapeau élimé, un ou deux m'avaient même dit « Vous êtes une gentille dame », mais jamais aucun ne m'avait demandé mon nom.

Je faisais confiance à cet homme, mais pour une étrange raison que je ne peux toujours pas m'expliquer, je lui mentis en lui disant que je m'appelais Alexandra. Je ne mens pas facilement, et je me demande encore ce qui m'a poussée à le faire, mais j'ai bel et bien menti en lui disant « Alexandra. Je m'appelle Alexandra. »

« Alexandra », répéta-t-il dans sa tête. « Je ne vous oublierai jamais, Alexandra. Et vous savez, je suis sûr que nous allons nous revoir un jour. »

Je souris devant cet homme et sa tentative sérieuse mais naïve de créer un lien. « Oh, j'en suis sûre », dis-je sans sincérité.

« Eh bien, encore au revoir », dit-il un peu à contrecœur, comme s'il regrettait de partir.

La voiture de mon mari s'arrêta au bord du trottoir.

« Quel est *votre* nom ? », lui demandai-je presque après coup, en apercevant avec soulagement la voiture.

« James , répondit-il.

– Eh bien, au revoir, James, et bonne chance.

– À bientôt », dit-il dans un sourire.

Ouais, bien sûr, pensai-je.

Je restai pensive toute la soirée. Je réfléchissais à l'échange qui avait eu lieu entre James et moi ainsi qu'à tous ses efforts pour me donner quelque chose en retour. Il y avait des gens dans ma propre vie qui n'étaient pas des mendiants et à qui James aurait pu en montrer en matière de réciprocité, me disais-je. J'avais l'impression que, comme mon maître spirituel l'avait parfois laissé entendre, un aspect presque de sainteté pouvait émaner d'un mendiant tel que James.

Deux ans plus tard, complètement absorbée par mes pensées, je descendis du trottoir au coin de Broadway et de la 42e Rue, en pleine circulation. Quelqu'un klaxonna et une femme poussa un cri. Je m'étais avancée droit devant une voiture qui approchait.

« Alexandra, faites attention ! », cria une voix pour m'avertir, mais mon esprit ne comprit pas la portée de ce nom.

Soudain, je sentis une poigne ferme qui me tirait et me ramenait sur le trottoir. La voiture passa à toute allure à quelques pouces de l'endroit où je me trouvais une seconde auparavant. Je me retournai vers mon bienfaiteur.

C'était James.

Je le regardai, incrédule. J'étais sidérée. Lui, toutefois, ne semblait pas du tout partager ma surprise.

« Je vous avais dit que nous nous reverrions », dit-il en souriant gentiment.

Il me tendit encore une fois la main – la main dans laquelle j'avais déposé avec hésitation un billet de cinq dollars, la main que j'avais serrée avec un si grand malaise.

La main ferme et forte qui m'avait sauvé la vie.

Nous nous serrâmes la main une fois de plus, et James disparut ensuite dans la foule.

Les « petits anges », disait mon maître spirituel pour les désigner. Comment pouvait-il savoir ?

– Kelly McAdam

Commentaire

Les maîtres spirituels se présentent sous plusieurs étranges déguisements.

*L*orsque Karen apprit qu'elle allait avoir un autre enfant, elle fit de son mieux pour préparer Michael, son fils de trois ans, à la venue d'une nouvelle petite sœur. Karen savait que c'était une fille, et elle parlait souvent à son fils de la naissance imminente. Michael attendait l'événement avec une vive impatience. Jour après jour, soir après soir, Michael chantait une chanson à sa sœur dans le ventre de maman. Il était en train de créer un lien d'amour avec sa petite sœur avant même de la voir. La grossesse se déroula normalement pour Karen. Les douleurs commencèrent au moment prévu. Bientôt les contractions se produisirent aux cinq minutes. Puis aux trois, aux deux et enfin à toutes les minutes. Karen fut emmenée d'urgence à la salle d'accouchement, et c'est alors que d'importantes complications se présentèrent. On annonça à Karen qu'il serait probablement nécessaire de pratiquer une césarienne. Finalement, la petite sœur de Michael naquit.

Au moment de la naissance, la joie et l'admiration furent intenses, mais ces sentiments firent rapidement place à de graves inquiétudes. Le petit bébé était dans un état critique. Une sirène hurla dans la nuit, et l'enfant fut transportée d'urgence en ambulance à l'unité de soins intensifs néonatals de l'hôpital St. Mary, à Knoxville, au Tennessee. L'équipe pédiatrique se mit tout de suite à l'œuvre auprès du bébé, mais la petite allait avoir besoin d'une quantité énorme de soins au cours des semaines suivantes pour avoir ne serait-ce qu'une chance de s'en sortir.

Les jour passaient et le nouveau-né se trouvait toujours loin de la maison. Pour assombrir le tableau, l'état de la petite fille semblait s'aggraver. « Il y a très peu d'espoir », annonça le pédiatre. « Préparez-vous au pire. » Avec une douleur et une peine profondes, Karen et son mari entreprirent des démarches auprès d'un cimetière afin d'acquérir un terrain pour l'enterrement. Ils avaient aménagé une pièce spéciale à la maison pour le nouveau bébé, mais tout portait maintenant à croire qu'ils allaient plutôt devoir organiser des funérailles.

Michael ne cessait toutefois de demander à ses parents de lui laisser voir sa sœur. « Je veux lui chanter une chanson », répétait-il. Au début de la deuxième semaine de soins intensifs, il semblait clair que des funérailles auraient lieu avant la fin de la semaine. Michael continuait d'insister pour chanter une chanson à sa sœur, mais les enfants ne sont jamais admis aux soins intensifs. Karen prit cependant une décision. Elle allait amener Michael, que cela plaise ou non ! S'il ne voyait pas sa sœur maintenant, il n'aurait probablement jamais la chance de la voir vivante.

Elle le revêtit d'une combinaison trop grande pour lui et le fit pénétrer à l'intérieur de l'unité de soins intensifs. Il avait l'air d'un panier à linge ambulant. Mais l'infirmière chef s'aperçut qu'il s'agissait d'un enfant et la houspilla : « Sortez cet enfant d'ici immédiatement ! Les enfants ne sont pas admis ! » Une rage maternelle s'éleva dans toute sa force à l'intérieur de Karen et, délaissant ses manières habituellement réservées, elle planta un regard d'acier droit dans les yeux de l'infirmière et dit sur un ton ferme : « Il ne partira pas tant qu'il n'aura pas chanté pour sa sœur ! »

Karen entraîna Michael à côté du lit de sa sœur. Il observa la minuscule enfant en train de perdre sa bataille pour la vie. Au bout d'un moment, il se mit à chanter. Avec la voix pure d'un enfant de trois ans, Michael entonna : « Tu es mon rayon de soleil, mon seul rayon de soleil, tu me rends heureux quand le ciel est gris. » Le bébé sembla répondre immédiatement. Son pouls se mit à ralentir et il devint régulier. « N'arrête pas de chanter, Michael », l'encouragea Karen, les larmes aux yeux.

« Tu ne sauras jamais, ma chérie, combien je t'aime, je vous en prie, ne m'enlevez pas mon rayon de soleil. » Tandis que Michael chantait pour sa sœur, la respiration difficile et instable du bébé devint aussi coulante que le ronronnement d'un chaton.

« N'arrête pas de chanter, mon chéri ! répéta Karen pour l'encourager à continuer.

– L'autre soir, ma chérie, tandis que je dormais, j'ai rêvé que tu étais dans mes bras… », chanta-t-il.

La petite sœur de Michael commença à se détendre et un calme reposant, un calme de guérison sembla la traverser.

« N'arrête pas de chanter, Michael. » Les larmes couvraient maintenant le visage de l'autoritaire infirmière chef. Karen rayonnait.

« Tu es mon rayon de soleil, mon seul rayon de soleil. Je vous en prie, ne m'enlevez pas mon rayon de soleil… », chanta le petit garçon d'une voix claire.

Le lendemain… le lendemain même… la petite fille alla assez bien pour rentrer chez elle ! Le magazine *Woman's Day* parla du « Miracle de la chanson d'un frère ». Le personnel médical parla tout simplement d'un miracle. Karen y vit quant à elle un miracle de l'amour de Dieu.

Commentaire

Quand l'amour chante son chant le plus pur, les portes du ciel s'ouvrent toutes grandes.

*I*ls s'aimaient follement, mais ils se disputaient violemment… et plus souvent qu'à leur tour. Ils étaient jeunes, passionnés, impétueux, et leurs disputes étaient intenses et sauvages. La triste vérité, c'était que les Colligan* – le couple préféré de tous, celui qui sans le savoir était désigné par les amis et connaissances comme l'exemple du « couple parfait » – ne s'entendaient plus.

Le caractère houleux de leur mariage se reflétait et se concrétisait dans cette habitude qu'avait Tim Colligan de recourir fréquemment à l'humour noir. « Je t'aime comme un fou, disait souvent Tim à sa femme Betsy lorsqu'il se sentait particulièrement contrarié, mais je déteste ta façon de t'affirmer ! »

Après plusieurs années d'arguments sans issue, de trêves et d'impasses totales, ils décidèrent finalement d'en rester là. Trop d'accusations, de récriminations et de provocations avaient aigri leur mariage. « Je ne peux pas vivre sans toi, mais je ne peux pas non plus vivre avec toi », disait Tim en faisant la grimace et sur un ton toujours empreint d'ironie.

Les Colligan divorcèrent et prirent leurs distances. Un océan bientôt les sépara – littéralement. Tim déménagea en Amérique, tandis que Betsy restait en Angleterre. Chacun perdit de vue son ancien conjoint, et tous les deux se bâtirent une nouvelle vie. Mais Tim ne parvint jamais à oublier complètement Betsy.

Il avait pris la mauvaise habitude de comparer les femmes qui faisaient partie de sa vie au souvenir affectueux qu'il conservait de Betsy, dont il avait enjolivé les vertus avec le temps. Il ne retrouvait pas chez ces femmes ce tempérament impétueux qui avait su l'enflammer ni cette passion pour la vie qui avait attisé la sienne. Ses petites amies étaient trop dociles, soumises et passives. Aucune autre femme ne possédait donc la nature fougueuse de sa première épouse ?

Mais il se rappelait alors les déclarations incendiaires et les remarques acerbes qui avaient ponctué son précédent mariage, et cela avait comme effet de le sortir du désir nostalgique dans lequel il était enclin à sombrer.

« As-tu oublié à quel point toutes ces années ont été un cauchemar ? », se disait-il pour se rappeler à l'ordre. « Un horrible cauchemar. »

Les années passèrent et Tim demeurait un célibataire solitaire. Ce n'était cependant pas faute d'avoir essayé. Il voulait sincèrement se marier, et il suivait tous les indices, les pistes et les signaux susceptibles de le conduire à la femme parfaite. Mais toutes ces initiatives ne le menèrent à rien.

Tim essaya de participer à des soirées et à des week-ends pour célibataires, il fit même appel à une agence de rencontre. Submergé par le zèle d'amis bien intentionnés, il était enseveli sous les noms et numéros de téléphone de femmes qu'on disait être faites pour lui. Mais aucune femme ne s'approchait ne fut-ce qu'un peu de son idéal – maintenant devenu complètement mythique – qui avait pour nom Betsy.

Deux décennies plus tard, Tim avait gagné en âge et en sagesse, mais il était encore seul et célibataire. Le temps avait cependant ouvert la porte à de nouvelles possibilités. Cette ouverture s'appelait l'ordinateur, et les services de rencontre utilisant la nouvelle technologie devinrent l'objet d'un grand engouement. « Pourquoi ne tentes-tu pas ta chance avec un service de rencontre par ordinateur ? », suggéraient judicieusement les amis de Tim, en soulignant qu'il avait épuisé toutes les autres possibilités.

Tim, inquiet après toutes ces années mais encore désireux de trouver la « femme de sa vie », accepta de se plier à la nouvelle mode. On le dirigea vers un service de rencontre sérieux et il remplit plusieurs formulaires lui demandant de décrire en détail son mode de vie, ses goûts, ses traits de personnalité, etc. Ses réponses seraient traitées par l'ordinateur et il serait mis en relation avec les personnes jugées les plus appropriées pour lui. Les responsables du service l'informèrent qu'il recevrait un nom et un numéro de téléphone à la fois, la candidate qui offrirait les meilleures chances se trouvant en tête de liste.

Tim répondit à toutes les questions du formulaire de manière rigoureusement honnête (« pourquoi tenter de berner un ordinateur », s'était-il dit en haussant les épaules) et attendit anxieusement que le nom de la première – et plus viable – candidate lui arrive par la poste.

Lorsqu'il ouvrit l'enveloppe transmise par l'agence de rencontre, Tim lut avec stupéfaction le nom de la candidate que l'ordinateur avait désignée comme étant la plus souhaitable pour lui.

Après avoir passé au crible, trié et supprimé des milliers de noms en provenance de toutes les parties du monde, l'ordinateur avait sélectionné comme étant parfaitement assortie à Tim nulle autre que BETSY COLLIGAN, de Londres – celle-là même qui avait été sa femme !

Une fois qu'il eut retrouvé ses esprits, Tim ricana, son humour caustique étant encore intact.

« Hum, dit-il tandis qu'un large sourire se dessinait sur son visage, peut-être l'ordinateur sait-il des choses que j'ignore ? »

Il souleva le téléphone et composa un numéro outre-mer afin de joindre une femme face à laquelle il n'avait nul besoin de présentation.

Ils se remarièrent et depuis ce temps ils vécurent heureux.

J'ai été témoin de l'histoire de deux personnes dont le destin fut lié d'une manière qu'on ne peut attribuer au hasard. Il s'agit de mon propre frère et de son médecin.

L'histoire remonte à l'époque où j'avais 11 ans et où nous vivions à Albany, dans l'État de New York. Mes parents louaient alors l'étage supérieur de l'une de ces typiques maisons de ville à trois étages aux murs mitoyens qui, telles des guirlandes ou une succession de clones, formaient de longues enfilades d'édifices en brique de chaque côté des rues. Il y avait un appartement en dessous de chez nous et un autre dans le sous-sol.

Les propriétaires, M. et Mme Lizzi, habitaient dans le sous-sol. C'était un adorable couple d'Italiens et ils avaient quelques enfants d'âge adulte. Un de leurs fils venait de se marier avec une belle jeune femme arrivée d'Italie depuis peu, et tous les deux habitaient l'appartement du milieu. Mon emploi cet été-là était de m'occuper de mon petit frère Joey, qui avait alors trois ans. Celui-ci aimait par-dessus tout se promener sur le trottoir avec son tricycle, et très souvent je m'ennuyais à mourir. L'une des choses qui m'aida considérablement fut de pouvoir passer du temps en compagnie de ma jeune voisine du deuxième étage, qui était maintenant une heureuse future maman.

On l'appelait « Catuzza », ce qui voulait dire, selon ce que m'avait expliqué mon père, « jolie petite Catherine ». Le « -uzza » est un diminutif que les Italiens ajoutent à la fin d'un nom lorsqu'un enfant est particulièrement mignon, et cette désignation lui reste généralement jusqu'à l'âge adulte. Catuzza était effectivement adorable, et j'aimais me tenir auprès d'elle.

Pendant l'été, Catuzza, déjà bien avancée dans sa grossesse, se retrouvait souvent seule, car son mari, un cordonnier, travaillait de longues heures afin de subvenir aux besoins de sa nouvelle famille. Comme elle connaissait très peu l'anglais, je lui donnai quelques leçons auxquelles Joey ajoutait son grain de sel. Il avait des boucles dorées, et Catuzza les enroulait autour de ses doigts. Son sourire me donnait toujours l'impression qu'elle pensait alors à l'enfant qu'elle portait dans son ventre.

Parfois, quand le bébé donnait des coups de pied, elle me laissait toucher son ventre. Une fois où il se trouvait à proximité, Joey posa aussi sa main et sentit les mouvements du bébé. Je lui expliquai que c'était le bébé qui bougeait à l'intérieur du ventre, et les yeux fascinés de Joey devinrent brillants. Catuzza était embarrassée. À cette époque les enfants n'étaient pas sensés savoir quoi que ce soit au sujet des bébés dans le ventre de leur mère.

À la fin de l'été, nous déménageâmes et je perdis contact avec Catuzza. Mon frère, Joey Oppedisano, devint un adulte. Il s'engagea dans l'armée américaine, fréquenta l'université, commença une carrière au ministère du Travail de l'État de New York... et fut atteint d'une maladie mortelle alors qu'il avait 35 ans.

Je n'oublierai jamais ce jour-là. C'était la fin de 1972 et je travaillais à l'université, à Long Island. J'étais agitée. Toute la journée je n'avais cessé de penser à ma famille qui demeurait à Albany. Finalement, à 4 heures de l'après-midi, je pris le téléphone et j'appelai ma sœur Rosemary. « Comment l'as-tu appris ? », me demanda-t-elle. « Comment ai-je appris quoi ? », lui répondis-je.

Elle me conta que la journée même, dès les premières heures, mon frère Joey avait subi une ablation de la rate, car celle-ci présentait une tuméfaction. Étant donné le degré de malignité, les médecins ne voulaient pas se prononcer sur son espérance de vie. Un peu plus tard, quand je rendis visite à Joey, il me raconta qu'il avait vécu une expérience étrange. Il avait « vu » l'intérieur de son corps et, partout en dedans de lui, il y avait de petits poils semblables à ceux d'un pinceau.

Il ne semblait pas y avoir grand chose à comprendre à cela, jusqu'à ce que les résultats des tests de laboratoire permettent aux médecins de transmettre à Joey un diagnostic. Il était atteint d'une maladie mortelle appelée leucémie à cellules chevelues. Les médecins, afin d'expliquer à Joey de quoi il s'agissait, lui montrèrent ce qu'il avait déjà « vu » dans son étrange et inexplicable visualisation –des cellules « chevelues » sous la lentille du microscope.

C'est à ce moment que commença la bataille. Joey, avec l'intense soutien de la famille, était déterminé à vivre. Il y avait une encourageante lueur d'espoir, en la personne du médecin auquel il finit par faire appel, le Dr Frank Lizzi, un hématologiste de grande réputation rattaché à l'hôpital St. Peter d'Albany.

Ce nom m'était familier. Un jour, tandis que je rendais visite à Joey à l'hôpital, je lui dis que lorsqu'il était petit nous avions habité une maison située sur Irving Street et que notre propriétaire s'appelait Lizzi. Joey était au courant. En fait, me dit-il, notre ancien propriétaire était le grand-père maintenant décédé du Dr Lizzi. C'était comme si une lumière venait de s'allumer. Le père du Dr Lizzi était-il cordonnier et sa mère s'appelait-elle Catuzza ? lui demandai-je. Joey me répondit que oui. C'était les parents du Dr Lizzi. Lorsqu'il ajouta que le médecin avait seulement trois ans de moins que lui, j'eus le souffle coupé. Le fait me parut remarquable – le bébé de Catuzza, qui n'était pas encore né, allait devenir le médecin qui sauverait la vie de Joey.

À cet instant, le Dr Lizzi entra dans la chambre. Lorsqu'il posa ses mains sur Joey, j'eus la vision non pas de deux hommes, un médecin et son patient. Je vis un enfant aux blonds cheveux bouclés posant la main sur le ventre d'une future maman qui rougissait et je m'émerveillai devant les liens et leurs mystères.

Personne n'aurait jamais pu imaginer que l'enfant à naître rendrait un jour lui-même ce toucher porteur du miracle de la vie.

Qui avait mis en place les morceaux qui allaient lier pour toujours la vie de ces deux hommes ? Voilà une question susceptible d'occuper l'esprit en quête de vérité.

– Antoinette Bosco

$\mathscr{M}$ary Higgins* n'avait eu qu'un enfant, et à la naissance il était atteint d'un retard mental profond. Même s'il ne pouvait comme les autres bébés gazouiller joyeusement ou faire des sourires de contentement en la reconnaissant, elle l'aimait d'un amour aussi inconditionnel que celui de n'importe quelle mère à l'égard de son enfant. Elle refusait de l'abandonner à une vie en institution, bien que tout un chacun – médecins, travailleurs sociaux, parents et amis – lui eussent vivement conseillé de le faire. « Pas mon enfant ! », jurait-elle farouchement. De souche irlandaise, Mary Higgins avait un caractère obstiné et rien ni personne ne pouvait s'opposer à elle ou l'arrêter. Une fois que Mary avait pris une décision, elle faisait preuve d'une volonté inflexible. Elle était, en un mot, implacable.

Ainsi, malgré les prières de tout son entourage, Mary garda l'enfant et s'en occupa du mieux qu'elle pouvait. Mais elle avait beau faire son possible, ce n'était pas suffisant. Elle n'était pas formée en orthophonie ni en physiothérapie ni en ergothérapie – autant de moyens susceptibles, du moins à petite échelle, d'améliorer la vie de son fils. Lorsqu'il approcha de l'âge adulte, elle reconnut finalement la futilité de ses efforts et réalisa qu'il avait besoin d'un peu plus que ce que l'amour pouvait lui apporter. Elle fit enquête pour trouver l'institution où il recevrait les meilleurs soins dans les environs et, le cœur gros, elle le plaça dans un centre réputé pour offrir ce qu'il y avait de mieux.

Mais Mary n'abandonna jamais son fils. Elle lui rendait visite tous les jours, passait des heures avec lui, lui apportait des biscuits maison et des friandises, l'embrassait et le serrait dans ses bras avec les mêmes sentiments qu'avant. Son dévouement ne faiblit jamais, et elle demeura une présence constante dans la vie routinière de son fils.

Le fils vieillit, tout comme la mère. Mary perdit son mari ; ses amis s'éteignirent ; les membres de sa famille se dispersèrent dans différents États. Bientôt, les seules personnes qui restaient dans sa vie furent son fils et une jeune nièce, Christie. Ce fut quand son univers eut à ce point rapetissé que Mary apprit qu'elle avait un cancer du foie.

Mary était accompagnée de sa nièce quand le médecin lui fit part du sinistre diagnostic. La première chose que dit Mary après avoir penché la tête et couvert son visage pour dissimuler ses larmes fut « Qu'arrivera-t-il de mon fils ? »

La foudroyante maladie rongea son corps, mais ne put jamais atteindre son esprit. Mary tenait bon – bien au-delà des pronostics des médecins – malgré la douleur et d'horribles souffrances. Elle ne lâchait pas prise – en fait, elle ne *pouvait* lâcher prise parce qu'elle était profondément inquiète pour son fils. Qui prendrait soin de lui après sa mort ?

La nièce voyait sa tante souffrir le martyre et elle en avait le cœur brisé. « À quoi sert de vivre ainsi, comme une morte en sursis ? », disait-elle en pleurant aux médecins. Ils la regardaient avec pitié et compassion, et lui répondaient : « Elle a un énorme désir de vivre. *Vous* le savez. Et vous savez *pourquoi*. »

Témoin qu'elle était des épreuves de sa tante, la nièce retenait son envie de mettre fin à ses souffrance en arrachant tous les tubes, les cathéters et les appareils à perfusion auxquels elle était reliée. « Qu'attends-tu pour mourir ! », aurait-elle voulu crier. Mais bien sûr elle n'en fit rien.

Un jour, elle reçut un appel de la fameuse institution.

C'était un vrai mystère, déclara l'administrateur, moitié en s'excusant, moitié sur la défensive. Personne ne pouvait l'expliquer. Il n'avait pas été malade ou quoi que ce soit. Il était en excellente santé. Il ne s'était aucunement plaint la veille, rien ne semblait l'incommoder. Mais au matin on l'avait retrouvé sans vie dans son lit.

Le fils de Mary était mort.

On l'annonça à Mary, le plus délicatement possible. Elle ouvrit grand les yeux et dit sur un ton énigmatique : « C'est donc fini… ça s'est achevé. »

Quelques heures plus tard, elle mourut paisiblement dans son sommeil. Dans la vie tout comme dans la mort, elle avait été une mère.

*R*evenant à peine d'un rendez-vous chez le dentiste, Jennifer, une acheteuse pour un grand magasin, s'installa à son bureau en se disant à quel point elle détestait les rencontres arrangées. Afin de faire plaisir à des amis bien intentionnés, elle avait accepté à deux reprises ce genre de rendez-vous au cours du dernier mois, et chaque fois le résultat avait été désastreux. Et voilà qu'en ce vendredi après-midi elle se préparait sans enthousiasme à passer une autre soirée avec un homme dont elle ne savait absolument rien.

L'effet de la novocaïne se dissipait et elle sentait des élancements dans sa gencive, ce qui assombrit davantage son humeur. Son dentiste avait posé une couronne temporaire sur une de ses dents de devant qui était en cours de traitement et elle en détestait l'apparence. Elle prit impulsivement le téléphone pour annuler son rendez-vous. Une fois qu'elle eut laissé un message sur le répondeur pour dire qu'elle était malade et ne pouvait sortir, Jennifer se sentit beaucoup mieux. Elle avait repris le contrôle de sa vie.

Peu après, le téléphone sonna. C'était Phyllis, une de ses amies, qui l'appelait pour l'inviter à une grande soirée pour célibataires qui avait lieu dans un hôtel du centre-ville. Jennifer sauta sur l'occasion. Elle se dit qu'il était temps qu'elle commence à choisir elle-même les personnes avec qui elle sortirait.

Pendant la soirée, Jennifer et Phyllis se tinrent près du buffet et se mirent à flirter avec un groupe de garçons. Soudain, Jennifer éternua. Elle éternua si fort que l'impensable se produisit. La couronne temporaire fut projetée de sa bouche.

Jennifer observa sans rien pouvoir faire sa dent qui roulait sous la table voisine chargée de nourriture. Personne d'autre n'avait vu la dent prendre son envol, mais Jennifer se sentit extrêmement embarrassée. Une main devant la bouche, elle s'excusa promptement et se rua de l'autre côté de la table. De la manière la plus désinvolte possible, elle se mit à quatre pattes, souleva la nappe et rampa sous la table. Après de frénétiques recherches, elle finit par apercevoir la capricieuse couronne.

Jennifer se dirigeait vers sa dent quand elle eut un mouvement de recul horrifié. Une main masculine sortie de nulle part venait de la ramasser. Elle leva alors la tête et se retrouva face à face avec un serveur qui avait rampé sous la table du côté opposé.

« C'est ce que vous cherchez ? », s'esclaffa-t-il en brandissant la couronne temporaire. Jennifer fit la grimace. « Il n'y a pas de problème », dit-il en souriant. « Je ne suis pas vraiment serveur. J'essaie de terminer mes études pour devenir dentiste. Au fait, je m'appelle Michael. »

Il lui remit la dent, en lui tenant la main quelques secondes de plus que nécessaire. Après avoir replacé sa couronne, Jennifer sourit et se détendit suffisamment pour réaliser que le serveur et futur dentiste était non seulement charmant mais plutôt bel homme. Lorsque Michael mentionna qu'il avait ce soir-là un rendez-vous arrangé avec une « jolie fille » mais que celle-ci lui avait fait faux bond, Jennifer se mit à rire. Elle lui raconta timidement qu'elle aussi était sensée sortir avec une personne qu'elle ne connaissait pas, mais qu'elle avait annulé le rendez-vous en se disant que le type devait être complètement ringard.

« Attendez un instant », dit alors Michael. « Vous vous appelez Jennifer Maloney, n'est-ce pas ? » Un seul regard et Michael comprit. « C'est donc vous la jolie fille et c'est moi le ringard ! »

Ils se tordirent tous les deux de rire, interrompus finalement par Phyllis qui jeta un œil sous la table en se demandant ce qui pouvait bien se passer.

Michael et Jennifer ont fini par se marier, et ils viennent de célébrer leur dixième anniversaire de mariage !

– Jan Wolterman

Commentaire
Quand l'univers souhaite offrir un cadeau, aucun revirement de situation ne peut être écarté.

$\mathcal{B}$eth Donnelly, une aide infirmière, et Doreen Krakat, une infirmière technicienne, travaillaient toutes les deux au Van Rensselaer Manor. Elle furent immédiatement portées l'une vers l'autre, car toutes deux aimaient bien plaisanter. Leurs échanges remplis d'humour contribuèrent à resserrer leurs liens et, pendant les années qu'elles passèrent à la maison de retraite, elle devinrent des amies intimes.

En octobre 1998, Theresa Murphy, la grand-mère de Doreen, fut admise comme patiente à la maison de retraite. Les membres de la famille estimaient qu'il était préférable que leur chère parente, âgée de 77 ans, vive sous supervision médicale, compte tenu de son emphysème et de ses problèmes cardiaques. Doreen annonça à Beth que sa grand-mère venait d'être admise à Van Rensselaer, et les deux amies se rendirent tout de suite à la chambre de Mme Murphy pour lui souhaiter chaleureusement la bienvenue.

Doreen aperçut sur la commode l'album de famille de sa grand-mère et se mit lentement à le parcourir.

« Puis-je le regarder avec toi ? », demanda Beth.

Sans hésiter, Doreen passa en revue toutes les photos avec sa copine. Le regard de Beth s'arrêta sur la photographie d'une enfant en bas âge. Elle sentit son pouls s'accélérer et sa bouche devenir sèche.

« Qui est-ce ? demanda-t-elle d'une voix tremblante.

– C'est Hope Ann, le bébé que ma mère a donné en adoption. »

Le sang monta brusquement à la figure de Beth et elle faillit s'étouffer lorsqu'elle prononça les mots suivants.

« Ce bébé, c'est moi », dit-elle la gorge serrée. « J'étais Hope Ann ! »

Doreen se força à sourire, croyant qu'il s'agissait d'une autre blague de Beth. Lorsqu'elle réalisa que Beth était tout à fait sérieuse, elle accepta de vérifier la chose. Elle se sentait d'emblée peu disposée à aborder la question avec sa mère. Après tout, cela avait dû être une décision extrêmement douloureuse pour celle-ci que d'abandonner définitivement son enfant. Quand Doreen trouva le courage de poser la question à sa mère, elle ne tarda pas à découvrir que, en effet, elle et Beth – sa plus proche compagne de travail – avaient la même mère.

Vingt-sept ans auparavant, Theresa Okonsi, la mère de Doreen, avait donné naissance à une petite fille qu'elle avait appelée Hope Ann. Dépassée par le fait de devenir mère et de devoir prendre soin d'un enfant, elle demanda de l'aide. Une travailleuse sociale lui suggéra d'envisager la possibilité de donner son bébé en adoption. Sentant que c'était son seul recours, elle abandonna son bébé. Hope Ann fut accueillie par une famille aimante, les Donnelly. Ces derniers l'appelèrent Beth et optèrent pour une attitude honnête et ouverte concernant son adoption.

Bien que Beth, dans sa tête et dans son cœur, considérait les Donnelly comme ses vrais parents, elle songeait souvent à sa mère biologique et ne pouvait s'empêcher de se demander si cette dernière pensait aussi à elle. Et c'était effectivement le cas. Theresa Okonski luttait contre le désir de retracer Beth, car elle présumait que sa fille ne souhaitait pas être retrouvée. Toutes deux refoulaient donc au plus profond de leur cœur le besoin intense de se voir réunies.

C'est ainsi que dans leur enchaînement, différents événements de la vie ont permis à un souhait du cœur depuis longtemps enfoui de devenir enfin réalité.

renda Tucker avait l'habitude des défis. Chef de famille monoparentale et mère de deux filles, Brenda était une bûcheuse et elle avait l'esprit de sacrifice. Elle sut très tôt dans sa vie de mère que ses enfants passaient en premier.

Brenda avait eu depuis longtemps à prendre soin des autres. Alors qu'elle était encore enfant, elle s'était occupée de sa mère malade ainsi que de ses cinq frères et sœurs. Brenda s'accordait difficilement du temps pour elle-même. Étant passée d'une famille dépendante à un mari violent avant de se retrouver mère célibataire, elle trouvait peu justifiable de s'offrir les plaisirs que la plupart des gens considèrent comme allant de soi – de longues promenades, des sorties entre amis, la simple liberté de ne rien faire. Elle s'autoculpabilisait et croyait qu'elle ne méritait pas les bonnes choses de la vie. Elle avait choisi de renoncer à sa liberté et se contentait de travailler, de dormir et de s'occuper de ses filles. À cette étape de sa vie, c'était tout ce qu'elle pouvait assumer.

À l'été 1981, Brenda travaillait comme secrétaire à Houston, au Texas. Les loisirs n'avaient pas de place dans son quotidien, et l'argent qu'elle gagnait servait à faire vivre sa famille. Quand une équipe de softball se forma dans son milieu de travail, elle choisit toutefois d'en faire partie. C'était la première fois de toute sa vie qu'elle prenait une décision en fonction du seul plaisir. Sans penser aux conséquences, sans qu'il n'y ait de souffrance ou de pressions, uniquement pour le plaisir. Brenda était très excitée. Elle avait hâte de se faire de nouveaux amis, de prendre l'air en faisant de l'exercice et de profiter du soleil.

Elle se sentit d'excellente humeur jusqu'à ce qu'elle reçoive le feuillet d'instructions. Elle avait négligé un détail : tous les joueurs devaient porter des chaussures de sport. Il fallait bien sûr des chaussures de sport pour jouer au softball, mais Brenda, une novice, n'y avait pas pensé avant de s'inscrire sur la liste des joueurs de la compagnie. Maintenant qu'allait-elle faire ? À peine quelques semaines plus tôt elle avait dû se demander quelle ampoule devait prioritairement être remplacée parce qu'elle ne pouvait s'offrir le luxe d'éclairer toutes les pièces de la maison. Elle n'avait pas les moyens de s'acheter de nouvelles chaussures, mais pouvait-elle pour autant marcher sur son orgueil et se retirer de la ligue ? Il n'en était pas question. Elle ne le ferait pas.

Brenda avait commencé à toucher le fond. Déprimée, anxieuse et par-dessus tout tenant à sa fierté, elle se rendait compte qu'elle allait devoir se priver du seul événement susceptible de lui apporter de la joie et un sentiment de paix. Et elle ne voulait d'aucune manière que les gens en connaissent la raison. Brenda n'était pas du genre à accepter la pitié ou la charité d'autrui. Elle inventerait une excuse et se retirerait avec élégance. En attendant, il lui fallait continuer de faire face au quotidien. Elle se rendit à l'épicerie, encore préoccupée, en se demandant ce qu'elle allait dire le lendemain à ses compagnes de travail. Tout en passant mentalement en revue l'éventail des excuses plausibles, elle se gara et sortit de sa voiture. C'est alors que Brenda tomba par hasard sur un objet qu'elle reconnut sans équivoque, à quelques pas de la portière.

Une boîte à chaussures.

« Quelqu'un a dû les oublier », se dit-elle. Brenda décida de continuer son chemin jusqu'au magasin et de laisser les chaussures où elles étaient afin de donner à leur propriétaire la chance de les récupérer.

Plus d'une heure plus tard, quand elle revint à sa voiture avec ses sacs d'épicerie, la boîte à chaussures était toujours là. Un doute traversa l'esprit de Brenda. « Elles ne sont certainement pas de ma pointure. » Brenda portait des 5 ½, une pointure au-dessous de la moyenne, difficile à trouver dans les magasins et d'autant plus dans un parking. La curiosité finissant par l'emporter, elle ouvrit la boîte. Celle-ci contenait une paire de Nikes flambant neuves, de pointure 5 ½. Brenda n'en croyait pas ses yeux. Après avoir longuement argumenté avec elle-même, elle se décida à apporter les chaussures chez elle. Comme on pouvait s'y attendre, elles lui allaient parfaitement.

À l'insu de Brenda, ce cadeau, sous l'apparence d'une paire de chaussures, était en fait la clé qui allait ouvrir une porte et libérer une dimension de son être que Brenda n'avait encore jamais connue mais qu'elle allait bientôt apprendre à aimer.

Commentaire

L'estime de soi est une incarnation de l'amour de Dieu. Le geste d'amitié le plus important est donc celui que l'on pose envers soi-même.

$\mathscr{I}$l faisait chaud tandis que nous roulions, au milieu du mois d'août, sur les petites routes vallonnées du Texas. Je jetai un coup d'œil à mon mari, J.W., reconnaissante de l'avoir à mes côtés. La dernière année nous avait tous laissés abattus et vulnérables. Je pensais à ma mère qui, au moment de notre départ le matin même, nous faisait au revoir depuis l'entrée de sa maison, les yeux remplis d'une année entière de chagrin et de douleur ayant trouvé son aboutissement dans la touchante messe célébrée la veille en souvenir de mon frère Skeeter. Il n'avait que 47 ans. Nous nous étions cramponnés les uns aux autres au cours de cette dernière année, unissant nos forces et couvrant Skeeter de notre amour. Mais nous étions maintenant vidés et épuisés, mûrs pour rentrer chez nous.

Sur notre trajet vers Los Angeles, J.W. et moi décidâmes de passer notre dernière nuit en compagnie de Sonny, mon plus jeune frère, et de Lisa, ma belle-sœur. Skeeter et Sonny avaient toujours été aussi proches que deux frères peuvent l'être et je savais que Sonny était ébranlé. En tant que sœur, je voulais m'assurer qu'il irait bien avant de m'envoler et que 2 400 km ne nous séparent. J'espérais en outre que le fait de mettre nos souvenirs en commun atténuerait d'une certaine manière notre douleur et notre sentiment de perte.

Tout comme ma mère, Sonny habitait en bordure d'une minuscule ville du Texas. Tandis que nous descendions la longue allée menant à sa maison, la campagne nous gratifia de ses pouvoirs de guérison particuliers et m'apporta une certaine dose de paix et de calme.

Je fermai les yeux et le visage de Skeeter surgit devant moi. Il n'était plus envahi par la dévorante et terrible souffrance du cancer, il n'était plus enflé ni décoloré par les innombrables traitements qu'il avait reçus. Son sourire était réel. Je sus au fond de mon cœur qu'il était quelque part, plus heureux, mais je regrettai qu'une question entre nous soit restée en suspens.

Un jour où j'étais assise à côté de son lit, nous avions, comme le font souvent les frères et sœurs, comploté en secret. C'était une bonne journée – la douleur se tenait à distance – et nous parlions de ce à quoi pouvait ressembler le paradis. Même si je savais que Skeeter y serait heureux et en sécurité, je suggérai que ce serait une très bonne idée de convenir d'un signal entre nous – quelque chose qui m'indiquerait qu'il avait fait le voyage et que le paradis correspondait à tout ce que nous avions imaginé. Il trouva l'idée excellente et nous convînmes de chercher le signal approprié. Malheureusement, un temps de réflexion était un luxe que nous ne pouvions pas nous offrir, et cette possibilité nous glissa entre les doigts. Je devais donc maintenant me contenter de ma propre croyance dans le fait que Skeeter nous souriait depuis le paradis. La confirmation allait devoir me venir de mes prières, et cela était suffisant.

Je sentis la voiture s'arrêter et mes rêveries furent interrompues par le bonjour accueillant de Sonny et une série de chaleureuses embrassades. Plus tard ce soir-là, alors que nous étions assis sur la véranda en compagnie de Sonny et de Lisa, le ciel du Texas se remplit d'étoiles scintillantes et d'une lune énorme et si brillante que j'eus l'impression que je pouvais tendre le bras et les atteindre du bout des doigts.

Nous restâmes ainsi à réfléchir, à échanger des souvenirs et des histoires de famille dans lesquelles nous trouvions un réconfort. Me sentant paisible et détendue, je racontai la conversation que j'avais eue avec Skeeter et leur parlai de notre projet de communication secrète demeuré en suspens faute de nous être mis d'accord à temps sur un signal. Je regardai alors le ciel et, soudainement inspirée, je dis en souriant : « Je sais ! Je vais sur-le-champ inventer moi-même un signal. » Après tout, nous sentions la présence de Skeeter et il n'y avait aucune raison de croire qu'il n'allait pas entendre mes paroles. Je levai les yeux et lui dis : « D'accord, Skeeter, si nous voyons une étoile filante dans les dix prochaines minutes, nous saurons que c'est toi et que tu nous dis que tout va vraiment bien. »

Nous échangeâmes des regards et nous reprîmes notre conversation là où nous l'avions laissée. Au bout d'un moment, Lisa

écarquilla les yeux et pointa fébrilement le doigt vers le ciel en s'é-
criant : « Regardez, regardez ! »

Nous levâmes tous la tête pour apercevoir, traversant comme un
éclair la nuit texane, l'étoile filante la plus grosse, la plus brillante
et la plus belle que j'aie jamais vue.

Nous observâmes l'étoile jusqu'à ce qu'elle s'éteigne, puis
nous nous regardâmes en percevant encore son reflet dans les yeux
de chacun. Ce moment prodigieux et le sentiment de paix qu'il
nous a apporté resteront à jamais gravés au fond de notre cœur,
avec Skeeter.

– *M. Sissy Clark*

Commentaire

Les miracles se présentent à nous de plusieurs différentes
manières. Ils se font parfois discrets, presque imperceptibles, tandis
qu'à d'autres moments, quand nous en avons intensément besoin,
ils traversent le ciel dans un éclair flamboyant.

*D*awn arriva à l'école un matin en m'annonçant ce qui était, pour elle, une tragique nouvelle.

Les « autorités », me dit-elle, l'obligeaient à changer d'école. Elle allait bientôt quitter ma classe, en quatrième année du primaire. Elle, sa mère et ses frères n'avaient pas de maison et habitaient dans un hôtel. Leur vie était maintenant gérée par des bureaucrates, et ces bureaucrates avaient décrété qu'elle devait quitter l'environnement rassurant de l'école où j'enseignais.

Dès le début, Dawn avait été une élève difficile. Ayant beaucoup de difficulté à se concentrer, elle était agitée et exerçait un genre de tyrannie sur les autres élèves. Au cours de mes 30 ans de carrière dans l'enseignement, elle avait été la seule de mes élèves à ne pouvoir travailler que si elle était assise à mon bureau plutôt qu'à son pupitre. Étant donné que la stratégie fonctionnait bien et donnait de bons résultats, j'avais décidé de lui accorder cette permission particulière. Je commençais tout juste à réaliser des progrès importants avec elle quand elle m'annonça l'étonnante nouvelle de son transfert précipité.

Au début de l'année scolaire, j'avais ce genre de classe qui amène un instituteur à souhaiter que le Ritalin soit distribué par le système de ventilation ! Plusieurs des enfants présentaient des problèmes d'attention et parvenaient difficilement à se concentrer. J'avais mis au point au cours des années précédentes de multiples tactiques qui se révélaient finalement efficaces dans mon travail avec ce genre d'élèves, mais les débuts étaient toujours frustrants… et pénibles.

Quand Dawn m'apprit qu'elle allait nous quitter, j'eus d'abord, pour être honnête, des sentiments partagés. Je savais combien elle progressait avec moi et à quel point elle était heureuse d'être dans ma classe. Nous avions aussi une excellente relation elle et moi. Mais mon groupe manquait tellement de concentration que je ne pouvais qu'être soulagée d'avoir un problème d'attention de moins dans la classe.

Cependant, Dawn exprima une telle tristesse par rapport à son départ imminent que son besoin intense de rester finit par me gagner à sa cause. Je demandai à la classe de faire une prière collective, peu importe à quelle puissance supérieure chaque enfant allait s'adresser, afin qu'on lui permette de rester. Je priai moi aussi. Malgré la sincérité de nos prières, Dawn fut contrainte de quitter l'école pendant la troisième semaine d'octobre. Elle revint de temps à autre rendre visite à la classe. Elle me confia plus tard qu'elle s'était sentie misérable dans sa nouvelle école.

L'année suivante, je fus transférée dans une autre école où j'enseignai à une toute nouvelle classe – la cinquième année. Je pensais à Dawn. Je n'avais pas eu l'occasion de l'informer de mon transfert et elle n'avait aucun moyen de savoir à quel endroit j'enseignais maintenant. Elle ne pourrait pas me rendre visite, je le savais, car elle ignorait où j'étais. Il ne me resterait que son souvenir.

Mais la troisième semaine d'octobre, alors que j'étais en train d'enseigner, je levai soudain la tête et aperçus Dawn à ma porte, en compagnie du conseiller d'orientation.

« Vous avez une nouvelle élève », dit-il.

Apparemment, lorsque Dawn avait été de nouveau transférée – cette fois à la même école où j'avais *moi-même* été transférée –, elle avait eu une rencontre avec l'orienteur. Celui-ci me raconta qu'en voyant mon nom sur la liste des instituteurs, elle était devenue tout excitée et avait demandé à être mise dans ma classe.

La réapparition de Dawn dans ma vie créa chez moi des sentiments partagés. J'étais ravie de la voir, mais je savais quel genre de travail m'attendait si je devais composer avec ses problèmes d'attention et son comportement social. Je me rappelais très bien les difficultés que j'avais éprouvées l'année précédente et l'énorme défi que représentait le fait de travailler avec elle. Mais je ne pouvais m'empêcher d'être impressionnée devant la coïncidence qui m'amenait de nouveau à m'occuper d'elle.

Car cela faisait exactement un an – la troisième semaine d'octobre – qu'elle avait été *retirée* de ma classe. Exactement un an plus tard – durant la même période – elle m'avait été mystérieusement et inexplicablement ramenée, dans une école et à un niveau différent.

Ce soir-là j'appelai sa mère pour lui faire part de l'incroyable et étonnante coïncidence. Elle me confia qu'elle et Dawn avaient prié pour que survienne ce scénario précis : elles souhaitaient que Dawn, par une voie ou par une autre, se retrouve miraculeusement dans ma classe.

Mais qu'est-ce qui avait fait que Dawn avait *encore* été transférée ? Et comment avait-elle abouti *à mon école* ?

Dawn me révéla qu'elle avait déménagé chez sa grand-mère, qui habitait dans un autre district scolaire. Et il se trouvait que les enfants d'âge scolaire de la rue où elle vivait étaient dirigés vers mon école.

Quelles étaient les chances pour que Dawn déménage dans un nouveau quartier et fréquente une nouvelle école, celle-là même où j'avais été transférée ? Comment expliquer qu'après avoir enseigné dans une classe de quatrième année du primaire j'aie été soudainement réassignée à une classe de cinquième année ? Et selon quelle probabilité allait-elle réapparaître exactement la même semaine où elle avait été retirée de ma charge un an auparavant ?

Dawn passa finalement une excellente année, tant sur le plan scolaire que sur le plan social. Notre extraordinaire relation de maître à élève alla même jusqu'à s'améliorer, et je vis Dawn s'épanouir. J'aime vraiment beaucoup cette fillette et sa famille.

Une autre coïncidence intéressante s'est produite cette année, alors que Dawn est en sixième année. J'ai emménagé dans un nouveau bureau, situé à un étage supérieur, qui se trouve par hasard juste en face du vestiaire que Dawn doit utiliser cette année ! Nous pouvons nous parler et nous saluer affectueusement chaque fois que nous nous croisons dans le corridor. Et puisque mon bureau n'est qu'à quelques pieds de son vestiaire, Dawn peut venir me voir toutes les fois qu'elle en a envie.

– *Chana-Chaya Bailey*

$\mathcal{Q}$uelques semaines après la mort de mon mari, en décembre 1987, j'entrepris la tâche douloureuse de passer en revue ses papiers. Je décidai un bon jour de m'asseoir et de faire le tri entre les documents qui avaient encore une importance et les vieilles lettres, les certificats, les photographies et autres, qui avaient perdu tout leur sens avec son décès. La première catégorie retrouva sa place sur une étagère du placard ; je mis le reste au rebut.

Pendant toute la journée, je fus habitée par le souvenir de mon mari. J'eus de la difficulté à m'endormir ce soir-là, mais finalement, vers minuit, je sombrai dans un profond sommeil. Je fus soudain réveillée par un bruit sourd, comme si quelque chose de lourd était tombé. Je me levai péniblement et fis le tour des pièces de la maison. Comme tout semblait en ordre, je retournai me coucher.

Au matin j'avais pratiquement oublié l'incident. Je remarquai alors un vide sur le mur. Un autoportrait de mon mari, qui était un artiste professionnel, était tombé derrière un fauteuil. La corde qui le soutenait depuis 25 ans s'était usée et avait laissé choir le portrait, en ayant comme effet de me réveiller durant cette nuit si particulière où je me sentais en intense communion avec son souvenir. Je restai saisie devant cette coïncidence, mais je remplaçai rapidement la corde et raccrochai le tableau à sa place habituelle.

Huit années passèrent. Au mois d'août 1996, mon appartement fut cambriolé durant mon absence. Les cambrioleurs vidèrent le contenu des placards sur le sol. J'eus les larmes aux yeux quand je rentrai chez moi et aperçus tout ce désordre. Des documents de famille, des dessins de mes enfants, des souvenirs remontant à plus de 40 ans, des lettres, des photographies, tout cela formait un fouillis. Il me fallut une journée entière pour recréer un semblant d'ordre. Tandis que j'examinais avec amour les souvenirs de nos fréquentations et des premières années de notre mariage – des lettres et des poèmes remplis de tendresse, une rose séchée –, j'eus l'impression que le temps s'était figé.

Cette nuit-là mon mari apparut dans mes rêves. Cependant, ceux-ci furent interrompus au milieu de la nuit par un bruit sourd. Le même scénario qui s'était produit huit ans auparavant se déroulait de nouveau. Je fis une brève inspection sans rien noter d'anormal et retournai au lit. Au matin, je découvris que le cadre où se trouvait l'autoportrait de mon mari était vide. Il était encore accroché au mur, mais la peinture avait trouvé moyen de glisser pour aboutir sur le sol.

– Rosalie E. Moriah

Commentaire
Quelque chose de nous-mêmes se loge dans les objets matériels que nous créons, et parfois ce quelque chose cherche à s'exprimer.

*J*amais je n'avais eu peur des gens ou des chiens. Quand les nazis entrèrent dans ma vie, je me mis à avoir peur des gens. Avant cette époque, ma famille habitait un spacieux appartement à Varsovie. Mon père, un ingénieur électricien, dirigeait une petite usine où étaient fabriqués des appareils ménagers. Nous jouissions de tout le confort d'une vie familiale. Comme je n'avais ni frères ni sœurs, mon père me fit cadeau de l'ami le plus loyal, affectueux et obéissant qui soit, pour me tenir compagnie quand lui-même et ma mère étaient au travail.

C'était un terrier mâle, avec des yeux noirs qui observaient le monde avec confiance et curiosité à travers des touffes de poil gris. Il répondait au nom de « Motek ». Je jouais avec lui, le taquinais, le baignais et lui donnais à manger. Parfois, après avoir joué et nous être chamaillés, Motek s'excitait et devenait incontrôlable. Alors, je lui parlais à voix basse et la douceur de ma voix semblait l'atteindre et le calmer. En fait, les gens avaient l'habitude de dire que ma voix pouvait apaiser un volcan en éruption.

Après l'arrivée des Allemands, nous fûmes contraints d'habiter le ghetto de Varsovie. L'espace était exigu, mais Motek nous accompagna. Il était considéré comme un membre de la famille.

Trois ans plus tard, tout avait changé. Les nazis avaient assassiné mon père dans le ghetto, ma mère mourait de faim dans un camp de travail, Motek était mort sous les balles des Allemands et le ghetto avait été rasé par les flammes.

Je fus amenée à l'infâme camp d'extermination de Majdanek, près de Lublin. Très peu de personnes survécurent à ses chambres à gaz qui, tout comme à Auschwitz, fonctionnaient jour et nuit. Peu après mon arrivée au cours de l'été 1943, j'eus suffisamment de malchance pour me retrouver à proximité d'une altercation mineure entre prisonniers. De leur tour, les gardiens firent feu sur le groupe et je fus touchée. Une balle traversa ma cuisse droite.

À Majdanek, on avait coutume de tuer les détenus malades ou blessés. Le médecin qui fut appelé sur les lieux m'interrogea au sujet de l'incident. Je lui racontai les faits en insistant pour dire que je me trouvais à cet endroit en toute innocence. Il réfléchit un moment et me dit qu'il allait me soigner à la clinique parce qu'il aimait le son de ma voix.

Je me rétablis juste à temps pour être inscrite sur la liste des personnes transférées au camp de travail de Skarzysko-Kamienna, également proche de Lublin, sur la ligne de chemin de fer menant à Treblinka. À mon arrivée, je n'avais que 18 ans. À côté des autres, j'étais considérée comme pleinement apte au travail. On m'assigna à la tâche de remplir d'explosifs des cartouches de 20 mm.

Le commandant du camp était un rude officier SS qui exerçait son pouvoir avec une main de fer. Ses hommes patrouillaient le secteur accompagnés de féroces chiens de garde afin d'empêcher la résistance et les évasions. Les conditions de vie étaient épouvantables, la nourriture était rare et les installations, rudimentaires ; un profond désespoir régnait parmi les prisonniers. Personne n'avait d'amis, sauf moi. Étonnamment, je partageais cet ami avec l'impitoyable commandant SS.

Je ne connaissais pas son nom, mais je l'appelais *Kelev*, ce qui signifie « chien » en hébreu. Il était la seule chose qui semblait provoquer occasionnellement un sourire sur le visage dur du commandant. Kelev était un magnifique danois. Son poil lisse, noir et blanc, suivait les courbes de chaque muscle, offrant une image de force et de puissance. Ses yeux sombres étaient tristes et pénétrants. Comme on le laissait en liberté dans le camp, il venait flairer les prisonniers et jappait après eux. Ces derniers étaient effrayés et terrorisés, mais pas moi. Je lui parlais, le caressais, jouais avec lui et le calmais, de sorte que nous devînmes des amis. Les gardes souriaient avec tolérance à la vue de cette jeune fille décharnée qui communiquait avec l'animal de compagnie du commandant. Ils se montraient plus indulgents et faisaient semblant de ne rien voir quand à l'occasion je me tenais tout près au moment où on nourrissait le chien. Sans doute n'auraient-ils pas été aussi tolérants s'ils m'avaient surprise en train de me servir à même la nourriture du chien – un régal comparé à ce qu'on me donnait à manger. C'était tellement important pour moi d'avoir un être à qui parler, un être que je pouvais aimer et caresser, qui se blottissait contre moi et me couvrait de bave. Cela camouflait mon désespoir.

Un matin, environ 11 mois après mon arrivée à Skarzysko-Kamienna, nous reçûmes l'ordre de nous rassembler pour un « défilé ». J'avais survécu à plusieurs exercices de ce genre au cours de l'année. Les prisonniers étaient placés en rangs et marchaient devant un groupe d'officiers SS. Le commandant se tenait en retrait et observait. Ceux qui semblaient bien portants étaient dirigés d'un côté afin d'être envoyés dans les usines qui avaient réquisitionné des travailleurs supplémentaires, et ceux qui paraissaient trop malades pour travailler étaient alignés de l'autre côté, en vue d'être exécutés.

À cette époque, j'avais contracté la fièvre typhoïde et j'avais perdu mes cheveux. J'étais âgée de 19 ans et je pesais environ 35 kilos. On m'envoya du côté des condamnés. Soudain, j'entendis un jappement. Je levai la tête et aperçus le danois qui, s'éloignant du commandant, avançait d'un pas lent, prudent, puissant et majestueux dans ma direction, sans détacher son regard du mien. Il agitait la queue avec autant d'allant qu'un métronome lorsqu'il vint se placer près de moi pour se faire caresser.

Je me penchai, lui souris, lui parlai, je lui grattai la tête et le dos, lui frottai les flancs et lui dis doucement adieu. Il lécha mes mains osseuses. Cela allait probablement être la dernière marque d'affection que je recevrais – et elle me venait d'un chien. À ma plus grande surprise, le commandant appela soudain un des officiers et se tourna vers moi. On me donna l'ordre de quitter le groupe des morts et de rejoindre celui des vivants. Kelev marcha à mes côtés, se frôlant à mes jambes décharnées, quand je pris ma place au milieu des heureux rescapés.

Quelques jours plus tard, je fus transférée dans une usine de munitions faisant partie du camp de concentration de Buchenwald, près de Leipzig. Malade comme je l'étais, je dus fournir de durs efforts pour survivre. Quand l'Armée rouge envahit la région et me libéra neuf mois plus tard, je n'avais plus que la peau et les os. Mais j'étais vivante !

Je vis aujourd'hui en Israël, le seul endroit où je me sens en sécurité. Je repense très rarement aux horreurs vécues dans ma jeunesse. Mais parfois, lorsque je suis assise sur mon balcon et que j'observe des enfants jouer ou promener leur chien, je me souviens de Kelev. Il fut d'abord pour moi un compagnon qui représentait l'espoir. Il représenta finalement la vie elle-même... ma vie.

– Ester Milshstein

$\mathcal{A}$yant par lui-même constaté qu'il devenait de plus en plus absorbé par Internet, Ron Elkins s'était résolu, dans un moment d'introspection, à éviter complètement son ordinateur. « Un trop grand gaspillage de temps sur le Web », avait-il conclu.

Il avait maintenu sa résolution pendant deux mois et, malgré les apparents avantages du Web, il était fier d'avoir pu résister à ses charmes.

Un de ces avantages, c'était tous ces nouveaux amis qu'il avait rencontrés en ligne. Parmi ce groupe d'amis il y avait Dave, un homme chaleureux et généreux qui apportait son aide à de nombreuses personnes aux prises avec des problèmes. Il avait donné un bon coup de main à Ron quand celui-ci avait traversé une période difficile.

Dave s'était suicidé deux mois plus tôt. Personne ne savait pourquoi. Ron pensait souvent à l'aide considérable qu'il lui avait apportée et pleurait encore sa mort. Cette tristesse avait sans doute contribué à sa décision de se tenir loin d'Internet.

Mais en juillet 1997, alors qu'il se trouvait dans un café disposant de quatre terminaux branchés à America Online, l'ordinateur lui fit des signes invitants.

Ron s'ennuyait profondément de son ami et espérait ardemment trouver en ligne une personne qui aurait connu Dave elle aussi et saurait pour quelle raison il s'était suicidé. Dave était bien sûr divorcé, il avait dû faire face à de nombreux problèmes personnels et était membre des AA, mais il semblait avoir malgré tout sa vie bien en main. Il avait offert un appui solide à tellement de personnes ; pourquoi n'avait-il pu le faire pour lui-même ? Ron voulait à tout prix le savoir. Il jeta un regard en direction des ordinateurs du café et sa détermination si durement gagnée s'effondra.

Trois des quatre ordinateurs étaient libres, et Ron se dirigea tout droit vers l'un d'entre eux. Il ouvrit une session sur America Online et se lança à la recherche des « copains en ligne » avec lesquels il avait déjà eu l'occasion de bavarder. Il choisit un nom, lut le profil, et le rejeta. Il sélectionna un autre nom, examina de près le profil, et remarqua qu'il y était mentionné : « Ami de Bill W. » Il s'y arrêta.

Ron savait que « Bill W. » était le fondateur des AA, l'organisation de soutien Alcooliques anonymes. Il savait aussi que Dave avait été membre de ce groupe et qu'il s'était engagé dans le programme des « Six étapes » avant sa mort. Ce type anonyme présentement en ligne connaissait peut-être son ami. Les chances toutefois étaient minces.

« Puis-je vous poser une question ? tapa Ron au clavier de l'ordinateur.

– Oui, vous pouvez, répliqua immédiatement l'individu anonyme.

– Avez-vous connu BIDASK DAVE (le nom d'utilisateur de Dave), connu aussi sous le nom de Dave V ? demanda Ron.

– Je connaissais très bien Dave », eut-il comme réponse.

Ron fut stupéfait de constater que, parmi les millions de personnes en ligne, il était tombé sur un individu qui par hasard connaissait effectivement Dave.

« Puis-je vous poser une autre question ? », écrivit-il.

Cette fois, il n'eut pas de réponse.

« Allô, êtes-vous là ? », écrivit Ron. Il était perplexe. Pourquoi le « copain » ne répondait-il pas ? Était-ce un problème d'ordinateur ?

Il réécrivit le message : « Êtes-vous là ? Connaissiez-vous Dave V ? »

Toujours pas de réponse. Ron n'y comprenait rien. Il resta assis devant l'ordinateur, déconcerté.

Une minute plus tard, un étranger s'approcha de lui et lui demanda : « Comment se fait-il que *vous* connaissiez Dave ? »

Ron venait tout juste d'envoyer, parmi les millions de personnes anonymes branchées à America Online aux États-Unis, un « message en direct » à l'individu qui utilisait l'ordinateur installé à l'autre bout du même café !

Sans mentionner leur nom ni se présenter officiellement, ils se lancèrent tous les deux dans une discussion animée au sujet de

Dave, racontant chacun de quelle manière ils l'avaient rencontré et ce qu'il avait signifié pour eux. L'étranger s'excusa alors et revint au bout d'une minute avec un cappuccino, puis il dit sur un ton énigmatique : « Je vous *connais*, vous me *connaissez* et je *connais* votre femme. »

Ron était ahuri. « Vous me connaissez ? Vous connaissez ma femme ? », répéta-t-il.

L'étranger fit signe que oui et se montra catégorique : « Oui, je connais très bien votre femme, Diane. »

Ron semblait ébahi. Jamais il n'oubliait un visage et il ne reconnaissait pas l'homme qui se trouvait en face de lui. « Qui *êtes*-vous ? », demanda-t-il nerveusement.

L'homme se révéla être Mark, un ami d'enfance de la femme de Ron, un ami qui était bien au courant de son histoire. Il était l'un des rares intimes que Diane avait invités à son mariage et qui n'étaient pas présents en ce jour important pour elle. Il ne l'avait pas rappelée pour s'expliquer ou s'excuser. Diane s'était sentie tellement blessée et rejetée par l'absence de Mark qu'elle ne lui avait jamais plus reparlé. Cinq ans plus tard, quand elle et Ron avaient eu leur premier enfant, son vieil ami Mark avait téléphoné pour la féliciter. Son appel avait choqué et bouleversé Diane. Il lui ramenait à la mémoire le comportement qu'il avait eu.

Mark tenta à plusieurs reprises de raccommoder les choses, mais la femme de Ron ne pouvait ni lui pardonner ni oublier ce qui s'était passé. Elle demanda à Ron d'appeler Mark et de lui dire de les laisser tranquilles. Afin que sa femme ne souffre pas davantage, Ron avait effectivement été voir l'homme à son travail, l'avertissant de ne plus jamais entrer en contact avec sa femme. À partir de ce moment, l'ami en question avait cessé d'appeler Diane et ni l'un ni l'autre n'avait plus entendu parler de lui.

Maintenant, quinze ans plus tard, Ron se trouvait dans un café, en train d'échanger amicalement avec le même homme qui avait si durement blessé sa femme et auquel il avait adressé un avertissement.

Autour de la table, Mark confessa finalement le secret qu'il avait gardé pour lui pendant toutes ces années. Il n'avait pu assister au mariage parce qu'au même moment il était complètement ivre et absolument incapable de se tirer du lit. Il n'avait pas appelé parce qu'il se sentait ignoble et tout à fait honteux d'avoir manqué le mariage de son amie d'enfance. Il était à l'époque dans la vingtaine, sans personne à qui se confier ou auprès de qui chercher de l'aide. Il n'avait jamais révélé à quiconque qu'il souffrait d'un sérieux problème d'alcool. Personne n'était au courant de la vérité, même ses amis les plus proches.

Mark avoua que Diane lui manquait terriblement. Pas un jour ne passait sans qu'il ne pense à elle. Pendant toutes ces années, il avait même conservé sa photo, qu'il gardait fixée à son miroir.

En entendant cette confession, Ron se sentit mi-triste, mi-heureux.

Triste d'apprendre que l'ami d'enfance de sa femme avait été aux prises avec un si terrible problème, qu'il avait dissimulé et combattu dans la solitude pendant toutes ces années. Triste de constater qu'une si belle amitié s'était terminée sans raison. Et triste de voir tant d'années perdues.

Ron se sentit toutefois rempli de joie, car il était persuadé que sa femme pardonnerait à son ami une fois qu'elle aurait compris ce qui s'était vraiment passé le jour de leur mariage. La relation qui pour chacun d'eux avait eu tellement d'importance se renouerait.

Le lendemain matin, Ron raconta à sa femme l'étrange coïncidence qui l'avait amené à rencontrer son vieil ami et il lui expliqua les circonstances qui avaient empêché Mark d'être présent à leur mariage. Sa femme fut bouleversée en apprenant la vérité au sujet de son vieil ami. Elle fut aussi peinée devant le fait qu'il n'avait pu se confier à elle et qu'elle avait mal compris ses intentions pendant tout ce temps.

Trois semaines plus tard, tous les trois se réunirent pour un dîner. Lorsqu'ils furent l'un face à l'autre pour la première fois depuis 20 ans, Diane et Mark fondirent en larmes, simultanément.

Le moment était venu pour eux de se revoir, et ils reprirent leur amitié là où ils l'avaient laissée.

– Ronald Elkins

Commentaire

Le temps, l'espace et le synchronisme sont autant de « réalités virtuelles » dans l'univers divin.

«*O*ù est mon bateau ? », s'écria Dennis Bennetts. Il était sur le rivage, face à l'étendue bleue et claire des eaux australiennes, et fixait avec incrédulité l'océan calme et désert. Un instant auparavant, il avait chargé sa chère embarcation, *The Classic*, en vue d'une expédition de pêche pour laquelle il s'était préparé avec le plus grand enthousiasme. Mais voilà que son précieux bateau s'était volatilisé. « *The Classic* a disparu des quais… quelqu'un a dû détacher les amarres ! », gémit-il, désespéré. Balayant du regard les eaux immenses qui s'étendaient devant lui, Dennis réalisa que le bateau qui lui avait procuré des années de souvenirs et de plaisir était probablement en train de dériver vers l'horizon, et que plus jamais il ne le reverrait.

Six mois plus tard, et à 8 000 km de là, Kathy Brennan et son petit ami Kregg, des compatriotes australiens, traversaient l'Afrique avec leur sac à dos. Leur guide de voyage les avait prévenus des dangers qu'il y avait à visiter le Mozambique en raison de la guerre civile sévissant dans ce pays. Mais quand il arriva au Swaziland, le couple rencontra des voyageurs qui lui assurèrent que le Mozambique était en fait un endroit sûr. Tous deux se décidèrent finalement à s'y aventurer.

Toutefois, comme beaucoup de touristes avaient été avertis des risques de voyager dans cette région, Kathy et Kregg ne passèrent pas inaperçus dans les différentes villes qu'ils visitèrent. Dans l'un des villages, alors que le couple se prélassait à l'ombre d'un grand arbre, à l'abri du brûlant soleil africain, deux jeunes garçons se précipitèrent vers eux en courant. « Regardez ! », s'exclamèrent les garçons, tout excités d'entrer en contact avec les exotiques étrangers. « Nous avons trouvé un papier… avec quelque chose d'écrit dans votre langue… à l'intérieur d'un bateau, sur le rivage ! Venez voir ! » Le couple suivit les garçons jusqu'au bord de l'océan, où ils aperçurent un magnifique bateau qui se laissait paresseusement bercer par le clapotis des vagues du bord de mer. Le bateau semblait bien entretenu, mais il était vide.

Kathy se hissa avec précaution dans l'embarcation et se mit à parcourir les documents qu'elle trouva à bord. Elle resta estomaquée lorsqu'elle reconnut des adresses et des noms familiers. Puis elle écarquilla les yeux, incrédule. « Kregg ! », s'écria-t-elle avec excitation. « Il faut que tu voies ça ! Tu ne le croiras jamais ! »

Kregg accourut près d'elle, à temps pour partager sa surprise. « Dennis Bennetts ! », s'exclama-t-elle. « Ce bateau appartient à Dennis Bennetts ! Kregg… Dennis habite à côté de chez moi en Australie ! »

Kathy se trouvait là, au bord de l'eau, dans une lointaine contrée africaine, sur un petit bateau qui, allez savoir comment, avait trouvé moyen de parcourir la distance de 8 000 km. Les océanographes expliquèrent par la suite que les courants de l'océan Indien, combinés à de forts vents, avaient poussé *The Classic* à une vitesse de 64 km par jour jusqu'à la fin de son incroyable périple, six mois plus tard, en Afrique – où il accosta aux pieds de Kathy et de Kregg.

Kathy courut téléphoner.

« Mon cher voisin, j'ai trouvé votre bateau. »

*J*e ne pouvais en croire mes oreilles. Celui qui allait bientôt être mon ex-mari m'annonçait qu'il avait en sa possession mon « Bilan de la quatrième étape », pour ainsi dire la chose la plus personnelle que j'aie jamais écrite de toute ma vie, et qu'il en distribuait des copies aux parents et aux élèves de l'école où j'enseignais.

Je m'étais engagée dans un programme de guérison en 12 étapes appelé « Outremangeurs anonymes », qui s'inspire du modèle conçu par l'organisation des Alcooliques Anonymes. Ce programme fondé sur l'entraide fait en sorte que nous ne nous sentons jamais seuls. Il propose 12 étapes menant à la guérison.

La quatrième étape nous conseille d'« effectuer un inventaire moral courageux et minutieux de notre personne ». On nous suggère de « faire preuve de courage et de profondeur dès le début » et l'on précise que « les résultats sont nuls tant qu'on ne se laisse pas aller complètement ». On m'avait dit que cette liste devait comprendre toutes les choses que j'avais faites dans ma vie et qui avaient suscité chez moi un quelconque sentiment de culpabilité. De plus, au cas où je n'aurais pas eu suffisamment de quoi me sentir coupable, je pouvais m'inspirer des lignes directrices du programme et y puiser, pour compléter ma liste, des idées supplémentaires auxquelles je n'aurais peut-être jamais songé.

Suivant les directives, je m'étais engagée dans cette démarche avec un grand courage et une rigoureuse honnêteté. Puisqu'il m'était arrivé de me sentir coupable de mes simples fantasmes, j'avais inclus ceux-ci dans mon inventaire. Je voulais émerger de cette étape totalement purifiée, alors j'inscrivais même les choses qui n'avaient existé qu'en pensée.

À l'époque où j'effectuais cet inventaire, j'avais entamé des procédures pour divorcer d'avec un mari violent. J'ajoutais chaque jour des éléments à ma liste et, à cause de la multitude de fantasmes qui me tourmentaient l'esprit, celle-ci était plutôt longue. Je la dissimulais jour après jour dans mon armoire à linge, sous une pile de couvertures et d'oreillers.

Un certain vendredi après-midi, il était prévu que je prendrais la parole devant les nombreux participants à une réunion des OA se tenant à Oceanside, dans l'État de New York. Quand quelqu'un a complété avec succès les étapes et les exercices du programme, on lui demande de « redonner » aux membres en partageant avec le groupe son expérience personnelle, sa force et son espoir.

Quelques heures avant le moment où il avait été prévu que je prendrais la parole, mon mari me dit qu'il avait mon inventaire en sa possession et en avait fait des copies. Non seulement s'était-il rendu à l'école où j'enseignais pour le distribuer aux parents, mais il avait aussi l'intention de l'utiliser devant les tribunaux pour m'enlever les enfants. Il affirmait ne pas en vouloir lui-même la garde, mais désirait que je ne l'aie pas non plus.

Je crois que je n'ai pas besoin d'expliquer à quiconque comment je me sentais. Je pensais m'être engagée dans une démarche spirituelle, et voilà ce qui maintenant arrivait ! Comment était-ce possible ? Je fis quelques appels frénétiques à des amis du programme et je ne tardai pas à décider que tout irait pour le mieux. Je dis avec optimisme à un ami : « Étant donné la chance que je m'attends à avoir, je parie que le juge en charge du cas sera lui-même un membre des AA ! Il va voir que mon mari utilise le programme contre moi et il va l'expulser de la salle d'audience, quelque chose comme ça ! » Je me décidai à croire que Dieu ne m'avait pas amenée si loin pour me laisser tomber.

Je me libérai mentalement et émotionnellement de cette énorme trahison et me rendis à la réunion pour prendre la parole. Je racontai mon histoire passée et présente, y compris bien sûr ce qui s'était produit avec mon inventaire ainsi que le vraisemblable scénario selon lequel le juge allait expulser mon mari de la salle d'audience. Je mentionnai aussi que mon mari avait abusé des enfants.

Après la réunion, de nombreux participants vinrent me parler, parmi lesquels une femme âgée qui me dit, les larmes aux yeux, à quel point la première partie de sa vie adulte avait ressemblé à la mienne.

Mon mari avait engagé un avocat réputé. *Mon* avocat m'avait été recommandé par une amie qui avait obtenu un règlement satisfaisant parce que l'avocat de son mari n'était pas très efficace. À l'époque, j'étais dans la vingtaine et peu consciente de l'importance d'être représentée par un avocat habile. Je ne pouvais savoir que mon ex en était quant à lui très conscient. Il ne m'était même pas venu à l'idée que mon avocat ne faisait pas le poids à côté du requin dont il avait obtenu les services à prix fort.

Le dimanche qui suivit immédiatement la réunion des OA, je reçus un appel de l'avocat de mon mari. Je lui dis que mon mari n'était pas à la maison.

« Avez-vous pris la parole à Oceanside vendredi après-midi ? », me demanda-t-il.

Je sentis la panique monter à l'intérieur de moi. Tellement de personnes étaient présentes à la réunion, écoutant ce que j'avais à dire. L'avocat de mon mari pouvait-il s'être trouvé parmi elles ? J'étais horrifiée à la seule pensée d'une telle possibilité. Mais quand il m'apprit que sa mère m'avait entendue et que son histoire ressemblait à ce point à la mienne qu'elle la lui avait répétée, j'admis que j'avais effectivement pris la parole à cette réunion. Il s'était rendu compte qu'il s'agissait de moi au moment seulement où elle lui avait mentionné que l'avocat avait en main l'inventaire de la personne en question.

« Après tout, ajouta-t-il, combien d'avocats ont en leur possession l'inventaire de la femme de leur client ? »

Il me demanda ensuite s'il était vrai que mes enfants avaient été abusés. Il me dit qu'il ne m'aurait pas crue si j'avais affirmé une telle chose dans son bureau.

« Mais, fit-il remarquer, vous l'avez affirmé à une réunion des OA, et on ne ment pas à une réunion des OA. »

Au cours de la conversation, il me demanda même si, une fois mon divorce finalisé, j'accepterais d'être sa marraine dans le cadre du programme ! Nous continuâmes à parler et il m'avoua que, avant cet événement, il avait vraiment l'intention de me torturer et de me faire souffrir au cours de ce divorce, et ce, jusqu'à ce que je sois prête à accepter un règlement qui me laisserait les mains vides. Mais il allait appeler immédiatement mon avocat à son domicile et j'obtiendrais un règlement équitable avant le lendemain matin.

Et c'est ce qu'il fit !

Ce qui s'annonçait comme un long et pénible divorce allait maintenant se régler de manière rapide, simple et équitable.

Quelle ironie. Le pire aspect de ce divorce se révéla être l'élément qui allait me sauver. Si mon mari n'avait pas donné mon inventaire de la quatrième étape à son avocat, celui-ci n'aurait pas su que j'étais la femme qui avait touché sa mère droit au cœur et il ne serait pas venu à mon aide. Il m'aurait au contraire infligé de grandes souffrances.

Au départ, il semblait clair que j'étais condamnée. Mon mari était celui qui bénéficiait d'un avocat reconnu et qui avait l'argent pour se l'offrir. Il disposait de mon inventaire. Il était indifférent au fait d'avoir ou non la garde des enfants. J'avais apparemment tout contre moi.

D'une certaine façon, mon pouvoir supérieur arrangea les choses. J'avais imaginé que le juge allait être celui qui, au sens figuré, enverrait mon mari au tapis. Mais les choses tournèrent encore mieux pour moi. Je n'eus même pas à me présenter devant un juge. Et celui qui me vint en aide fut le propre avocat de mon mari. Même dans mes rêves les plus fous je n'aurais pu imaginer qu'une telle chose se produise.

Combien de fois ai-je entendu de mauvaises nouvelles pour en découvrir en fin de compte l'aspect bénéfique ?

Combien de fois des événements qui semblent d'abord sans issue se révèlent finalement merveilleux ?

Chaque fois que la vie m'enseigne cette leçon, j'acquiers un plus grand respect à l'égard de ce que Dieu est en mesure de faire et, encore davantage, à l'égard de ce qu'Il fait réellement.

– *Chana Chaya Bailey*

*C*ette histoire d'amour n'a pas été faite *pour* la télévision, mais elle a été rendue possible *grâce* à la télévision.

Arlene DeCrenza, une New-Yorkaise, n'avait pas vu son « premier amour » depuis 22 ans et c'est en vain qu'elle avait tenté de le retrouver. Un soir, elle alluma son téléviseur et eut le choc de sa vie.

En février 1998, une équipe de l'émission Eyewitness News du réseau ABC s'était rendue en Floride afin de réaliser sur place un reportage à la suite des tornades meurtrières qui avaient balayé l'État ensoleillé. Des habitants de Kissimmee, interviewés au hasard, faisaient part de leurs réactions à ces ravages. Elle reconnut parmi eux un visage familier.

Arlene, qui était maintenant divorcée et habitait le comté de Westchester, eut peine à croire que Gene Mershell, son premier amour qu'elle n'avait pu retrouver six ans auparavant au terme d'extensives mais malheureusement vaines recherches, se trouvait sous ses yeux, à l'écran. Après l'émission, Arlene, surexcitée, entra en contact avec Eyewitness, à New York, et des retrouvailles entre elle et Gene, lui aussi divorcé, eurent lieu en ondes par satellite.

« Tu m'as manqué, dit-il timidement.

– Tu m'as manqué aussi », avoua-t-elle.

Puis, sur un ton de réprimande, elle ajouta : « Pourquoi ne m'as-tu pas appelée ? »

Ils s'étaient tous les deux connus alors qu'ils avaient 17 ans. Il était moniteur dans un camp où elle passait des vacances avec sa famille.

À la suite de l'émission, ils recommencèrent à se fréquenter. Sa relation avec Arlene devenant plus sérieuse, Gene déménagea à New York. Six mois plus tard – le 23 août 1998 –, ils prononcèrent les mots « Oui, je le veux » au cours d'un magnifique mariage qui eut lieu au Briarcliff Manor, à New York.

En fait, précisa le reporter Martin Solis, ABC était présent à toutes les étapes importantes de ce miracle lui-même plutôt marquant.

« Nous étions là à leurs retrouvailles, fit-il remarquer, et nous avons fait un reportage sur leur mariage.

« Le seul événement que nous n'avons pas eu le droit de couvrir, c'est la lune de miel. »

Commentaire

Tant que nous laissons les tisons de nos désirs brûler intensément, ni les jours ni les mois ni les années ne parviendront à en éteindre les flammes.

*P*arce que mon père, Michael, était un artiste, j'ai été gratifié d'une vie remplie de merveilleuses surprises. Chaque jour peut m'apporter une lettre d'une personne possédant une de ses peintures et désireuse d'en savoir davantage à son sujet. Chaque visite à une galerie d'art peut me mener à la découverte d'une toile que je n'ai encore jamais vue.

Je suppose qu'il y a des centaines de peintures non découvertes qui attendent de faire irruption dans ma vie de manière inattendue, et il m'est difficile de décrire les émotions que je ressens lorsque cela se produit. Mon père est décédé en 1971, mais quand je découvre une peinture pour la première fois, j'ai presque l'impression qu'il me l'a envoyée de « là-bas », quelque part.

Bien sûr, il serait exagéré de qualifier de coïncidence la découverte de chaque peinture. Quand une personne possède un tableau de mon père et entre en contact avec moi, le processus est assez simple – même si j'en suis ravi autant que surpris.

Cependant, certains hasards par lesquels quelques-unes de ces peintures on refait surface vont au-delà de la simple routine et peuvent être considérés comme remarquables. Permettez-moi de vous raconter deux intéressantes coïncidences de ce genre – et une autre tellement extraordinaire qu'elle semble à peine crédible.

Un jour, alors que j'assistais à la première d'un événement culturel consacré à la peinture murale des années 1930 au New Jersey (mon père, Michael Lenson, était à cette époque le directeur de la division du New Jersey du Federal Art Project/WPA), je fus présenté à Marlene Park, la réputée historienne de l'art. En entendant mon nom, ses yeux s'illuminèrent. À peine quelques jours auparavant, elle avait reçu un appel de l'Institut Smithsonian, qui désirait obtenir des renseignements au sujet de mon père. Deux de ses peintures murales s'étaient retrouvées dans le hall d'un immeuble d'habitation du Bronx et le propriétaire de l'édifice était entré en contact avec l'Institut pour savoir si elles avaient quelque valeur. Ces peintures murales font maintenant partie de la collection de l'Institut Wolfsonian, en Floride.

Une autre fois, je visitais une exposition à la galerie Midtown, à New York. J'étais exalté à l'idée d'y rencontrer la légendaire Mary Gruskin, qui avait fondé la galerie au milieu des années 1930 avec John, son mari. Mme Gruskin me dit « Oh, oui, Michael Lenson », puis me conduisit dans une pièce à l'arrière et me montra les photographies de deux peintures de mon père qui avaient été exposées dans sa galerie dans les années 1930. Je n'avais jamais vu ces peintures auparavant, mais elles sont aujourd'hui en ma possession.

Il s'agit là de deux hasards heureux certes étonnants, mais qui ne peuvent être comparés à cet autre, dont je dois toutefois vous expliquer brièvement le contexte.

En 1928, mon père remporta le prix qui était à l'époque le plus prestigieux dans le domaine des arts – le prix Paris, assorti d'une bourse de 10 000 $ et offert par la Fondation Chaloner. C'était alors une somme d'argent énorme, cela demeure aujourd'hui une somme rondelette. Mon père, qui triait le courrier au bureau de poste pour payer ses études à la National Academy of Design, se retrouva du coup en route pour Paris, Londres et l'Espagne, où il poursuivrait quatre années d'études. Comme il l'écrivit plus tard : « Toute ma parenté qui me percevait comme un bon à rien à la charge de ma famille fut soudain rassemblée sur le quai pour me dire au revoir. »

Durant les années qu'il passa à l'étranger – notamment ses années parisiennes –, il réalisa quelques peintures extraordinaires. Il était très influencé par Titien et les nombreux autres grands maîtres dont il étudiait les œuvres au Louvre. Notre famille n'en vint à détenir qu'un petit nombre des tableaux qu'il exécuta pendant cette période. Quelques-uns restèrent en Europe. D'autres furent vendus après son retour.

Mais les peintures de loin les plus remarquables produites entre 1928 et 1932 rejoignirent la collection d'une dénommée Leila Livian, une professeure de chant célèbre à l'époque. En 1932, peu de temps après que mon père fut revenu à New York, il échangea les tableaux contre des leçons. Et ces œuvres remarquables se retrouvèrent « là-bas », quelque part, attendant qu'on les découvre.

Au début des années 1980, je décidai donc d'essayer de les trouver. Cela allait être difficile, car je savais par ma mère que Leila Livian était décédée plusieurs années auparavant. Cependant, ma mère avait aussi appris que Leila Livian avait été mariée à un dénommé Nathaniel Ratner. C'était bien peu comme point de départ, mais bien assez pour le détective en herbe que j'étais. Je me lançai ainsi à sa recherche.

Je me tournai en premier lieu vers mon outil de recherche préféré, l'annuaire téléphonique de Manhattan. Je n'avais aucune idée de l'endroit où vivait Nathaniel Ratner – cela aurait pu être n'importe où, du Maine à la Californie –, mais j'ouvris tout grand l'annuaire et cherchai le nom « Ratner ».

Bien sûr, il y avait beaucoup de Ratner répertoriés à New York. Je ne trouvai aucun Nathaniel, mais je dénichai un « N. Ratner ». Alors je pris le téléphone et composai le numéro. Quelques instants plus tard, une femme fut au bout du fil.

Je me souviens encore clairement de notre conversation.

« Allô », dis-je. « J'essaie de joindre M. Nathaniel Ratner. Je suis désolé de vous déranger si je ne suis pas chez lui, mais si je suis bien chez lui, je souhaiterais lui parler.

– Bien, répondit la femme après un moment de réflexion, je regrette, mais je ne connais pas de Nathaniel Ratner. Puis-je vous demander c'est à quel sujet ? »

Je lui expliquai que j'essayais de retrouver certains tableaux que possédait Nathaniel Ratner.

« Bien, répondit-elle, si vous voulez, je pourrais interroger la famille de mon mari pour savoir s'il est parent avec nous. Par simple curiosité, pourriez-vous m'en dire un peu plus sur les peintures que vous cherchez ?

– Mon père était un peintre du nom de Michael Lenson », dis-je. Puis j'enchaînai en lui expliquant un peu qui était mon père et à quoi ressemblaient ses tableaux.

« Je ne connais pas Nathaniel Ratner, dit-elle en s'esclaffant, mais j'ai en ma possession un dessin de votre père ! »

Elle se mit alors à me raconter une histoire stupéfiante.

« Quand j'étais petite, je suis allée en colonie de vacances en Pennsylvanie. Cela devait être aux environs de 1916. Un des moniteurs était un adolescent d'une beauté à couper le souffle. Toutes les filles, nous étions absolument séduites par lui. Et il a fait de plusieurs d'entre nous des portraits absolument extraordinaires. N'allez pas croire qu'il s'agissait de caricatures d'amateur, non pas du tout, les dessins étaient expressifs et tous d'une grande beauté… Je conserve encore précieusement celui que votre père a fait de *moi*. »

Il fallait que je me rende à l'évidence : en composant ce qui était purement et simplement un faux numéro dans une ville de huit millions d'habitants, je venais de dénicher, sans même l'avoir cherché, une des œuvres de mon père. Et par surcroît une œuvre très singulière – un dessin de jeunesse, qu'il ne me serait jamais venu à l'idée de rechercher.

Maintenant, vous vous demandez probablement si j'ai fini par retrouver Nathaniel Ratner et les œuvres manquantes. J'y parvins, au terme de démarches en règle, en entrant en contact avec une assez célèbre soprano qui avait aussi pris des leçons avec Leila Livian. Cette femme savait exactement où trouver Nathaniel Ratner et les tableaux que je cherchais, dont la valeur justifia tout à fait mes recherches. Le plus beau de l'histoire, c'est que Nat est devenu un grand ami, qui adore en outre les peintures. Me faire un bon ami fut la plus belle des surprises.

Mais il m'arrive souvent de me remémorer la coïncidence du « faux numéro ». Dans ces moments-là, j'entends toujours la voix de mon père qui me dit : « Tu vois, Bar, puisque de toute façon tu étais en train de chercher, je me suis dit qu'il te plairait bien de découvrir un petit quelque chose de plus. »

– *Barry Lenson*

Commentaire

Si vous voulez que la passion vous mène à votre but, gardez votre instinct en lieu sûr, mettez vos pensées étroites de côté et lancez-vous.

*E*n Israël, où les terres fertiles valent un prix d'or et où il n'y a pas de champs pour laisser paître le bétail, le bœuf est une denrée rare et on doit l'importer de l'Amérique latine. Une bonne partie du bœuf d'Israël vient en fait du Paraguay, un pays où trois rabbins-bouchers israéliens se rendaient régulièrement. Ils travaillaient là-bas dans un immense abattoir qui leur permettait d'abattre le bétail conformément à la loi judaïque et d'approvisionner ainsi les citoyens d'Israël en viande kasher. Ils travaillaient dans le même abattoir depuis trois ans et, malgré les risques de l'endroit – sa grandeur même, la machinerie dangereuse, l'impressionnante quantité de bétail –, ils se sentaient en sécurité.

Un jour, cependant, un incident malencontreux se produisit. Tandis qu'ils inspectaient des pièces de viande à l'intérieur d'un énorme congélateur, les rabbins sursautèrent en entendant le claquement métallique de la massive porte du congélateur qui se refermait d'un coup derrière eux, les gardant prisonniers à l'intérieur.

Ils se regardèrent, horrifiés. Ils appelèrent à l'aide. Ils donnèrent de grands coups dans la porte. Mais personne ne répondit. Ni leurs voix ni leurs bruyants efforts ne semblaient atteindre la moindre oreille.

« Quelqu'un passera sûrement par ici bientôt et entendra notre vacarme », dit un des rabbins, en tentant de rassurer ses compagnons.

– Évidemment ! », répondit un autre avec conviction. « Quelqu'un va certainement nous trouver d'un moment à l'autre. »

Mais il n'en fut pas ainsi.

Les heures passèrent. Les rabbins n'avaient cessé de crier et de donner des coups dans la porte, mais aucune âme n'avait entendu leurs appels.

Gagnés par le manque d'oxygène et le froid glacial, les rabbins s'affaiblirent. À mesure que l'énergie les quittait, leurs voix devenaient plus éteintes. Leur optimisme initial s'évanouit. En regardant leur montre, ils réalisèrent que c'était l'heure de la fermeture de l'immense usine. Cette constatation fit mourir chez eux tout espoir.

Ils parlèrent tristement de leurs femmes et de leurs enfants qu'ils laisseraient derrière eux. Ils sortirent le petit livre des Psaumes qu'ils transportaient toujours dans leur poche et commencèrent à se préparer au pire. Un calme étrange les envahit. Ils avaient déjà accepté leur sort.

À l'extérieur de l'abattoir, Emilio, le gérant, se débattait avec le cadenas alors qu'il se préparait à fermer le bâtiment pour la nuit. Comme d'habitude, avant d'introduire la clef, il avait fait le tour de l'usine pour s'assurer qu'il ne restait aucun traînard. Constatant qu'il n'y avait personne, il avait fermé l'abattoir. Tandis qu'il se dirigeait vers le terrain de stationnement, il passa près du poste de sécurité. Emilio fut surpris de voir Golya, le garde de sécurité, debout à son poste.

« Golya ! », s'exclama-t-il. « N'étais-tu pas sensé être en vacances à partir d'aujourd'hui ?

– Oui, c'est vrai, répondit Golya, mais à la dernière minute, mon remplaçant s'est déclaré malade. Le service du personnel m'a demandé si je ne pouvais pas leur rendre service et rester un jour de plus. Le nouveau va commencer dès demain, et je pourrai alors m'en aller !

– Eh bien, je te souhaite de bonnes vacances ! dit chaleureusement Emilio en lui faisant au revoir de la main, pour se diriger ensuite vers sa voiture.

– Monsieur ! lui cria le garde, mal à l'aise. Vous ne partez pas pour la nuit, n'est-ce pas ? »

Emilio fut étonné par la question. Golya ne lui avait jamais demandé ce genre de chose.

« Oui, pourquoi ? », lui répondit-il. « Je ferme en effet pour la nuit. L'heure de la fermeture est passée depuis longtemps.

– Mais monsieur, dit Golya sur un ton anxieux, je suis à peu près sûr qu'il y a des gens à l'intérieur.

– De quoi tu parles, Golya ? dit Emilio. J'ai fait moi-même le tour de l'usine, comme je le fais chaque soir. Tout le monde est parti.

– Je vous prie de me croire, monsieur, j'en suis presque certain. S'il vous plaît, vérifiez encore une fois. »

Emilio trouvait que Golya avait un comportement étrange, mais ce dernier était un homme fiable et consciencieux qui ne lui avait jamais causé le moindre problème. Pour lui faire plaisir, Emilio retourna à l'abattoir et fit une deuxième tournée de vérification. Et encore une fois, il ne vit rien ni personne.

Emilio revint au poste de sécurité et rassura Golya. « Tout est parfait. Il n'y a personne à l'intérieur. »

Golya, un homme habituellement timide, montra une insistance qui ne lui ressemblait pas.

« Tout n'est *pas* parfait, monsieur. Je suis sûr qu'il y a des gens à l'intérieur. J'aimerais que vous vérifiiez encore. »

Emilio étudia Golya avec curiosité. Depuis des années qu'il le connaissait, Golya n'avait jamais été aussi ferme et affirmatif. Son comportement était *vraiment* étrange.

Une fois de plus, Emilio retourna à l'abattoir, en fit attentivement le tour et s'assura que, malgré les craintes de Golya, rien ne clochait.

Mais cette assurance ne réussit pas à apaiser Golya, devenu intraitable.

« Je vous dis qu'il y a des gens à l'intérieur ! », insista-t-il en montant la voix.

Emilio commençait à être agacé. Qu'avait donc ce garde de sécurité ? « Écoute, Golya, la chose devient ridicule ! J'ai vérifié à trois reprises.

– Alors, laissez-moi vous accompagner, monsieur. Je vais faire une autre tournée de vérification avec vous ! », insista Golya.

Golya se conduisait de manière si étrange qu'Emilio ne savait plus quoi faire. Il finit par plier devant ses supplications. « D'accord, viens avec moi », dit-il.

La tournée de Golya fut plus méticuleuse que celle d'Emilio. Il inspecta les placards, vérifia chaque étage, se pencha à côté des énormes machines pour voir si quelqu'un n'était pas resté pris en dessous. Le gérant était complètement déconcerté par le comportement bizarre du garde de sécurité. *Avait-il perdu la tête ?*

Ils s'approchèrent alors du congélateur, auquel Emilio n'avait pas prêté attention précédemment.

« Ça y est ! », cria Golya avec conviction en ouvrant triomphalement la porte. À l'intérieur, gisaient les trois rabbins, bleuis et inconscients.

« Mais comment as-tu pu savoir ? », demanda par la suite Emilio à Golya, longtemps après que les émotions se furent calmées et que les rabbins eurent été conduits d'urgence à l'hôpital, où ils furent réanimés.

Golya s'expliqua.

« Cela fait trois ans que ces rabbins viennent ici. À chacune de leurs visites, ils viennent me parler. Quand ils arrivent le matin, ils s'arrêtent toujours pour me dire : «Bonjour, Golya, comment ça va, comment va ta famille, comment va le travail, passe une bonne journée, à plus tard.» Quand ils repartent le soir, c'est la même chose. Ils s'arrêtent toujours pour me dire un dernier mot. «Alors, Golya, demandent-ils, comment a été ta journée ? Est-il arrivé des choses excitantes ? Que prévois-tu manger pour dîner ?», et ainsi de suite. Ils me font toujours sentir que je suis important, que je compte pour eux. Cela fait trois bonnes années qu'ils agissent ainsi. Et lorsque je m'absente de mon poste pour une minute juste avant leur départ, ils vont même jusqu'à attendre que je revienne pour me dire au revoir. Pendant toutes ces années, il ne leur est jamais arrivé une seule fois d'oublier de me dire bonsoir avant de quitter l'usine.

« Monsieur, continua Golya, quand vous êtes sorti du bâtiment et l'avez fermé à clef pour la nuit, j'étais inquiet. «Golya, me suis-je dit, pendant trois ans ces rabbins n'ont jamais manqué de s'arrêter pour te dire bonsoir. Pourquoi est-ce que ce serait différent ce soir ?» C'est ainsi que j'ai su que quelque chose devait vraiment mal aller et qu'ils étaient sûrement pris quelque part à l'intérieur », conclut-il.

Commentaire

Le retour des choses est une danse qui comprend plusieurs pas bizarres.

$\mathcal{J}$'avais 31 ans quand, en janvier dernier, deux policiers se présentèrent à ma porte pour m'annoncer que mon mari était mort subitement dans un horrible accident de voiture.

Mon mari portait une ceinture de sécurité, mais ou bien il s'était endormi, ou bien il avait raté une courbe. Son camion avait dérapé, puis s'était renversé avant de percuter contre un arbre. Il avait été mortellement écrasé.

Pour ajouter à l'horreur de cette nouvelle, j'eus un choc quand je réalisai que les primes de l'assurance-vie n'avaient pas été payées et que notre police était périmée. Apparemment, au moment où nous avions cru remplacer une police par une autre, nous les avions annulées toutes les deux sans nous en rendre compte. Pendant tous ces mois, nous n'avions pas pris conscience de cette fatale erreur, nous ne nous étions pas aperçu que l'argent avait cessé d'être retiré automatiquement de notre compte.

En tant qu'institutrice, je gagnais moins de 30 000 $ par année, alors que j'habitais une maison dont l'hypothèque s'élevait à 999 $ par mois. Je devais acquitter des factures mensuelles de 360 $ pour la garderie et de 340 $ pour la voiture. À eux seuls, ces montants dépassaient mes revenus. J'avais en outre un prêt-études à rembourser ainsi qu'un solde à payer sur ma carte de crédit, et je devais maintenant faire face à la facture de 7 000 $ couvrant les funérailles. Je n'avais aucune idée de la manière dont je m'y prendrais pour continuer à payer toutes ces factures.

Par miracle, au cours des mois qui suivirent, chaque chèque que j'eus à signer me fut invariablement « remboursé », et ce, au dollar près. Toutes mes dépenses, prévues et imprévues, furent tour à tour compensées par une somme équivalente.

Cela commença avec la vente de ma maison. Je fus en mesure de la vendre immédiatement, mais je ne pouvais déménager avant de prendre les dispositions nécessaires pour installer la maison mobile que je comptais habiter sur la propriété de mon frère. Ces démarches allaient prendre trois mois, ce qui signifiait qu'il me fallait continuer à payer mon hypothèque jusqu'à ce qu'il me soit possible de déménager. Je sentis un énorme soulagement et une profonde gratitude lorsque j'ouvris les nombreuses cartes de condoléances qui m'avaient été envoyées. Dans une réconfortante manifestation d'amour et d'amitié, plusieurs personnes avaient glissé de l'argent à l'intérieur de leur carte. Je compris alors que ces amis m'aidaient à faire face aux paiements de la maison. Le montant d'argent provenant de cette première série de cartes de condoléances s'élevait à 2 700 $ – la somme exacte dont j'avais besoin pour payer trois mois d'hypothèque !

Le jour où j'achetai ma maison mobile, je fis un chèque de 500 $ pour le dépôt. Le même soir, en ouvrant mon courrier, je trouvai un mandat anonyme de 500 $ qui m'était destiné. Une note dactylographiée accompagnait le cadeau : « *J'étais un ami d'Aaron* (mon mari). *J'espère que cela vous aidera.* »

Un mois plus tard, au moment de payer mes factures, je fis mon premier paiement hypothécaire. Le même soir, ma belle-mère s'arrêta chez moi avec une carte de condoléances de ses collègues de travail. À l'intérieur de la carte, il y avait un chèque exactement du même montant que celui que je venais de signer pour payer l'hypothèque.

Tout récemment, j'hésitais devant une décision difficile, soit laisser mon fils dans une école publique surpeuplée ou plutôt l'inscrire dans une école privée où les classes sont plus petites. Le coût était évidemment mon inquiétude. On m'avait informée à l'école que la maternelle coûtait 617 $. Pendant la semaine où je soupesais le pour et le contre, je reçus de ma compagnie d'assurance le remboursement de la police couvrant le véhicule accidenté, que j'avais par erreur continué à payer. Le chèque était au montant de 555 $. Quelques jours après avoir reçu le chèque, l'école privée m'offrit un marché alléchant : si j'acquittais les frais en un seul paiement, ceux-ci seraient abaissés à 555 $.

Je découvris plus tard que j'avais droit à un montant d'argent du fait que mon mari portait une ceinture de sécurité. La somme correspondait exactement à ce dont j'avais besoin pour rembourser mon prêt-automobile.

Puis, dans un geste d'amour et de soutien incroyablement généreux, Marty, le meilleur ami de mon mari, s'engagea à payer au complet la facture des funérailles.

Même si maintenant je vis « simplement », mes factures ont été considérablement réduites et nous ne manquons de rien, mon fils et moi. Je possède beaucoup moins de « choses » que ce que m'aurait procuré l'assurance-vie de 400 000 $ dont la police était périmée ; toutefois, j'ai acquis dans cette expérience une inébranlable confiance en Dieu et une tranquillité d'esprit.

Aucune somme d'argent au monde n'aurait pu m'enseigner aussi clairement que, au-delà de ce que nous pouvons en comprendre, certaines forces sont à l'œuvre autour de nous et que le fait d'espérer un miracle, comme j'en étais venue à le faire, invite ces forces à pénétrer dans notre vie.

– Rosemarie J. Brody

Commentaire

De temps à autre, il nous est rappelé que l'argent n'est pas seulement un moyen servant aux échanges matériels, mais aussi un véhicule au service de la communication spirituelle.

*E*n 1983, mon mariage me fit entrer dans une grande famille irlandaise catholique. Étant enfant unique, j'avais hâte de faire l'expérience de ces réunions colorées qui se déroulent dans une chaleureuse ambiance de fête. Cependant, je découvris bientôt que Bob, mon mari, l'aîné de la famille, s'était brouillé avec Terry, son plus jeune frère, et qu'ils étaient encore en mauvais termes. Je savais en un certain sens qu'il y avait plein d'amour sous cette mésentente et je désirais ardemment qu'ils deviennent de « vrais frères ». Tout en me disant que j'étais naïve, je ne pouvais m'empêcher d'espérer.

Trois années passèrent. Par un mardi de janvier froid à vous transpercer les os, Bob et moi nous nous préparions sans enthousiasme à nous rendre à un dîner imprévu avec un de ses clients. Nous rechignions à l'idée de quitter notre appartement bien chaud et de rouler pendant une heure avant d'arriver à ce petit restaurant du New Jersey.

Sur la route, nous nous figurâmes le scénario : nourriture abominable, ennuyeuses conversations d'affaires, et retour chez nous le plus tôt possible.

Au moins il fait chaud dans le restaurant, pensai-je tandis que nous entrions dans la salle à manger, qui n'était pas dénuée de charme. Une fois attablés, nous nous détendîmes et nous commençâmes à profiter du moment. C'est alors que mon mari l'aperçut.

« Terry est là », dit-il d'une voix tendue.

J'étais intriguée. « Il vit dans le New Jersey, mais pas dans *cette* région, dis-je. Nous sommes mardi soir et il fait un froid glacial – que fait-il donc ici ? Peut-être ne nous verra-t-il pas. Vain espoir, le voilà qui s'en vient. »

Terry se comporta de telle manière qu'à côté de lui Ron Rickles[10] aurait eu l'air d'un papa gâteau. Bob, l'objet de toutes ses remarques cinglantes, se contenta de rire avec gêne.

Heureusement, Terry ne tarda pas à retourner à sa table, laissant dans son sillage une tension qui dura pratiquement tout le dîner.

Sur le trajet du retour, dans la voiture, je me fis encore optimiste et dis à mon mari : « Je suis sûre que c'est le pouvoir de l'amour que vous avez l'un pour l'autre qui a fait que vous vous êtes rencontrés. Ça ne peut pas être une coïncidence. »

Je ne sais pas ce qu'il en pensa de son côté, mais nous n'étions ni l'un ni l'autre préparés à ce qui se produisit deux mois plus tard.

Nous étions en Amérique du Sud depuis environ une semaine. Après avoir rendu visite à un de mes amis à Buenos Aires, nous nous trouvions à Rio de Janeiro, en train de monter, hors d'haleine, l'interminable escalier menant à Corcovado, la statue qui veille sur le port. Les jambes mortes de fatigue, je ralentis en disant à mon mari de continuer. Quand j'atteignis le sommet, je ne fus pas déçue – malgré la foule envahissante, la vue était à la hauteur de ce que promettaient les guides de voyage. Je restai éblouie quelques instants, me laissant envahir par la magie de Rio. Puis j'essayai de trouver Bob.

À la place de Bob, j'aperçus une famille regroupée pour une photo – mon beau-frère Terry, sa femme, les parents de celle-ci, et mes trois jeunes neveux ! *Ils* étaient venus en Amérique du Sud pour voir la comète de Halley ; *nous* y étions venus pour voir des amis et Machu Pichu.

Quand je rejoignis Bob, j'appris qu'il avait lui aussi aperçu Terry. Bob avait repéré son frère et sa famille alors qu'ils se trouvaient près de la rambarde, sur le point d'être pris en photo par un étranger serviable. Il avait mis son propre appareil photo devant son visage et s'était avancé d'un air menaçant vers Terry, qui se disait en lui-même : *Hé, ce type ressemble à un des hommes qui fait la croisière avec nous... Non, en fait, ce type ressemble à Bobbie... Mais **c'est Bobbie !***

La coïncidence était si frappante que, cette fois, l'humour resta dans le registre de la gentillesse et la conversation prit une tournure vraiment amicale. Ma belle-sœur s'exclama : « J'aurais bien aimé avoir autant de chances de voir la comète ! »

Je me dis : *Les chances ne sont pas comptées lorsqu'il s'agit du pouvoir de l'amour.*

Ces événements ont eu lieu il y a 12 ans et, depuis lors, les deux frères sont vraiment des frères.

– Virginia Duffy

Commentaire

Quand l'amour essaie de renouer ses liens, on ne peut échapper au champ magnétique ainsi créé.

---

[10] NDT. Comique américain surnommé « le roi de l'insulte ».

$\mathcal{I}$l n'y a pas longtemps, après quasi 58 ans de mariage, ma femme, Alma, est décédée. Elle avait été ma partenaire non seulement à la maison, mais aussi à mon travail, où elle m'écoutait, me conseillait et effectuait parfois même des travaux de secrétariat non payés. Quand je repense au bonheur que nous avons partagé, je réalise que notre union était providentielle. Je me souviens en particulier de cette journée, au début de notre mariage, où je sus avec certitude qu'elle m'était destinée.

Nous étions jeunes mariés et, afin de mieux nous connaître, nous regardions ensemble nos photos de famille. Alma me désignait différents membres de sa famille, en m'expliquant qui était qui. « Celle-ci est ma grand-mère, celui-là est mon oncle… » Puis elle déroula une grande photographie de groupe. « J'ai l'honneur de t'apprendre que je suis déjà allée à la Maison blanche », se vanta-t-elle.

« Quand ? », demandai-je. Elle me montra du doigt la date inscrite dans le coin de la photo – 1928 – et je me dis : *C'est l'année où mes parents m'ont amené à Washington, D.C.* « Je suis allé aussi à la Maison blanche cette année-là, affirmai-je.

– J'ai même serré la main du président Coolidge, dit-elle.

– Moi aussi, enchaînai-je. J'avais 11 ans à l'époque. Je n'oublierai jamais cette journée.

– Nous avons été pris en photo devant la Maison blanche, dit-elle.

– Nous aussi, répliquai-je.

– Je suis ici », dit-elle. Mes yeux suivirent son doigt jusqu'à une écolière au corps svelte. Puis, à mon plus grand étonnement, je repérai le visage familier d'un élève rondelet de cinquième. Je mis mon doigt à côté de celui d'Alma et lui dis : « *Je* suis là, juste à côté de toi. »

Réunis dans la photo avant même de nous connaître, nous étions maintenant mariés – et nous le sommes restés pendant 58 années de bonheur sans nuage.

– *Arthur Morgan*

Commentaire

Dans chacune des images qui sont captées de notre vie, une réalité évidente et une réalité cachée sont présentes côte à côte. Celles-ci attendent simplement que nous ajustions notre objectif intérieur pour révéler leurs plus profonds secrets.

J'observais Chelsea, notre petite fille de sept mois, dans son petit lit d'hôpital. Tandis que je la bordais, mon regard se posa sur la vieille Bible de la famille Dillon que je laissais toujours à côté d'elle dans son lit. Elle avait appartenu à ma grand-mère, morte quand j'avais 13 ans. J'étais attachée à cette Bible de la même manière que j'avais été attachée à ma grand-mère. Cette dernière avait toujours réussi à calmer mes blessures et mes peurs d'enfant ; elle me manque encore aujourd'hui. La Bible avait reposé entre ses mains durant son service funèbre. Ma mère ne l'avait retirée qu'au moment où le cercueil allait être mis en terre, et elle me l'avait ensuite donnée.

Mais même grand-maman n'aurait probablement pas pu calmer la blessure et la peine auxquelles mon mari Lance et moi étions maintenant confrontés. Plus tôt ce jour-là, les spécialistes du centre médical universitaire de Tucson avaient finalement diagnostiqué la déconcertante maladie qui, lentement mais sûrement, soutirait la vie de notre premier enfant.

« Chelsea est atteinte d'une maladie congénitale extrêmement rare appelée déficit immunitaire combiné sévère », nous informa le médecin. « Le DICS entrave le fonctionnement normal de son système immunitaire. Elle n'a pratiquement aucune défense naturelle contre les infections. Sa moelle osseuse ne produit pas les cellules nécessaires. »

Je le regardai, figée. Je me rappelais le film *The Boy in the Plastic Bubble*, qui raconte l'histoire d'un enfant atteint de la même maladie. Depuis le début, nous espérions que la cause de la fièvre, de la diarrhée et de la perte de poids qui ravageaient Chelsea était un microbe mystérieux mais susceptible d'être éliminé. J'avais prié pour que, parmi l'énorme arsenal de la médecine moderne, se trouve le bon médicament, l'arme magique qui la guérirait. L'immunologiste nous expliqua avec soin que la seule option était une greffe de la moelle osseuse – une procédure risquée dont les chances de succès étaient, dans le meilleur des cas, d'environ 50 %.

La *seule* option.

Nous devions la transférer le plus tôt possible dans un hôpital où l'on pratiquait ce genre d'opération, avait-il dit. Il n'y en avait que quelques-uns dans tout le pays.

Maintenant penchée sur le petit lit de Chelsea, je lissai la couverture et éloignai un peu la vieille Bible. Le cuir qui couvrait le livre avait été adouci par l'usure. Tandis que mon enfant dormait, je fermai les yeux en espérant un miracle.

Le lendemain, nous nous décidâmes pour le Memorial Sloan-Kettering, à Manhattan, car le taux de succès y était « légèrement en haut de la moyenne ». Mais nous faisions maintenant face à un problème majeur, soit celui de transporter Chelsea de Tucson à New York sans l'exposer à un grand nombre de personnes. Chelsea ne pouvait se permettre d'attraper ni même un rhume. Toute aggravation de son état retarderait l'intervention chirurgicale. Une simple grippe risquait de la tuer.

Il était hors de question de se rendre en voiture. Elle ne pouvait être privée des liquides intraveineux pendant aussi longtemps. Les vols commerciaux représentaient beaucoup trop de risques sur le plan de la contagion, et les grands aéroports étaient encore pires à cet égard. Nous avions besoin d'un avion privé, mais l'état de Chelsea n'était pas considéré comme extrêmement critique – un critère auquel il fallait répondre pour que notre compagnie d'assurance accepte de couvrir les frais de location d'un jet. Nous étions dans une impasse, car si l'état de Chelsea devenait à ce point critique, elle serait alors probablement trop malade pour subir l'opération.

Lance et moi ne savions plus quoi faire. Nous ne dormions plus, nous mangions à peine. Il devait bien y avoir une solution. Nous fîmes d'innombrables appels. Nous entendîmes finalement parler d'un groupe appelé Corporate Angels, qui fournit à des enfants malades des vols gratuits à bord d'avions privés. Ces avions effectuent des voyages d'affaires normaux, et les patients sont pris à bord. Corporate Angels nous trouva un vol qui partait de Denver le vendredi suivant et se rendait directement à New York. Un miracle était à portée de la main.

« Mon Dieu, priai-je, aidez-nous je vous prie à nous rendre maintenant jusqu'à Denver. Je sais que Vous avez Vos propres façons d'intervenir. De notre côté, nous allons continuer à faire des efforts. »

Denver était trop loin pour y aller en voiture. Nous trouvâmes le numéro d'une compagnie d'avions sanitaires privée. Peut-être pourrions-nous assumer nous-même le prix du vol. Mais quand je m'entretins avec Judy Barrie, une auxiliaire médicale dont le mari, Jim, pilotait l'avion sanitaire, elle me fit part d'une mauvaise nouvelle. « Le vol vous coûtera au moins 6 000 $ », me dit-elle. Nous n'avions pas 6 000 $. Nos réserves financières étaient épuisées.

Je remerciai Judy et lui dis au revoir. « Attendez », lança-t-elle au moment où j'allais raccrocher. « Je désire vraiment vous aider. Je ne vous promets rien, mais je vais en parler à Jim. Peut-être que nous trouverons une solution. »

Lorsque je raccrochai, j'eus l'étrange impression que ces gens allaient pouvoir faire quelque chose pour nous tirer d'une situation qui devenait de plus en plus désespérée. Une heure plus tard, Jim Barrie me rappela. « Écoutez, j'ai un ami qui fait le vol de Phoenix à Denver dans la matinée et l'avion sera vide, me dit-il. Si vous êtes en mesure d'être sur la piste à 6 h 30, vous pourrez monter à bord. »

Parfait. Chelsea pourrait supporter le trajet jusqu'à Phoenix. Mais j'avais presque peur de lui poser la question suivante. « Jim, combien cela coûtera-t-il ?

– Combien ? Mais rien du tout. Ce type est un ami, et il doit ramener l'avion ici de toute façon. »

J'étais immensément soulagée. Ces parfaits étrangers avaient posé un geste extraordinaire pour sauver la vie de mon enfant. Je ne savais plus quoi dire. Le mot *merci* me semblait insuffisant.

« Vous pourriez nous faire une seule petite faveur », ajouta Jim. « Judy et moi, nous aimerions voir Chelsea. »

Chelsea était réveillée et même un peu enjouée quand Jim et Judy arrivèrent à l'hôpital. Tandis que Jim discutait avec Lance du meilleur chemin pour se rendre à l'aéroport de Phoenix, Judy et moi eûmes l'occasion de bavarder. Elle ne cessait de regarder en direction du petit lit. Je m'aperçus que son attention était dirigée vers la Bible de grand-maman. Quand elle s'était penchée au-dessus de Chelsea, elle l'avait effleurée des doigts. Finalement, juste avant de partir, Judy me demanda : « De quelle région êtes-vous ? » Je lui répondis que je venais de Pittsburgh.

« Je viens moi aussi de Pittsburgh, dit-elle lentement. En fait, de Carnegie, dans la banlieue.

– Ma mère vient de Carnegie », enchaînai-je. Je sentis un frisson me traverser. « Virginia Everett. Son nom de jeune fille était Dillon.

– Virginia Dillon ? s'étonna Judy, les yeux écarquillés. Mon père s'appelait Howard Dillon.

– L'oncle Howard ? » J'étais stupéfaite.

Judy fit signe que oui. C'était comme si un courant électrique était passé entre nous. Je comprenais maintenant pourquoi son visage me semblait vaguement familier. Judy Barrie était ma cousine Judy Dillon. « Je ne t'ai pas vue depuis… », commençai-je à dire. Judy tourna de nouveau les yeux vers la Bible.

« Depuis les funérailles de grand-maman, il y a 20 ans », poursuivit-elle, terminant ma phrase. « Et cette Bible est celle qu'elle tenait dans ses mains. »

Nous tombâmes dans les bras l'une de l'autre. Je sus alors que tout se passerait bien pour Chelsea. Il y avait tellement peu de chances que nos chemins se croisent ainsi. Cela devait arriver.

Chelsea eut sa greffe de la moelle osseuse et, quatre mois plus tard, elle sortait de l'hôpital avec un système immunitaire pleinement fonctionnel. Elle représente, comme on dit, un miracle de la médecine.

Mais il y eut aussi cet autre miracle. Je me plais à le désigner comme le miracle de ma grand-mère. Dans un sens, même 20 ans après ses funérailles, elle réussissait à me réconforter et à me faire comprendre qu'avec l'aide de Dieu, tout est possible.

– Cheryl Deep

Commentaire

Le pouvoir de l'amour n'est pas moins puissant que celui de la médecine moderne. Placé entre bonnes mains, il devient l'instrument de guérison utilisé par Dieu.

$\mathcal{V}$ers la fin de la Deuxième Guerre mondiale, mon père se trouvait sur le front en Allemagne. En mars 1945, tandis que le régiment canadien auquel il appartenait attendait d'être approvisionné, papa reçut l'ordre de se rendre à Aldershot, en Angleterre, afin d'être décoré par le roi George VI. Le temps était cru à Aldershot, mais papa avait donné sa capote réglementaire à un soldat resté au front. Frissonnant, il se dirigea tout droit au centre de la Croix rouge et prit dans une boîte pleine de pull-overs un épais chandail à double col tricoté à la main. Celui-ci se dissimulait parfaitement sous sa tunique et le gardait au chaud sans contrevenir au code relatif à l'uniforme.

Après avoir reçu la médaille militaire de la Bravoure au palais de Buckingham, papa rejoignit le régiment et on lui fournit un autre manteau. Il mit le chandail au fond de son paquetage.

Papa rentra sain et sauf chez lui au Canada en janvier 1946. Sa mère fut heureuse de faire à nouveau son lavage. Alors qu'elle triait ses vêtements, elle tomba sur le chandail et resta stupéfaite. Au grand étonnement de mon père, elle prit alors une paire de ciseaux et coupa le col.

Comme plusieurs autres femmes pendant la guerre, grand-maman avait tricoté des chandails pour les jeunes hommes envoyés outremer. Elle glissait toujours à l'intérieur une note et l'argent nécessaire pour un timbre afin qu'ils puissent écrire. « Je priais pour les garçons qui recevraient mon ouvrage et demandais à Dieu de les guider de façon à ce qu'ils rentrent chez eux sains et saufs », dit-elle. Plusieurs entretinrent par la suite une correspondance avec elle durant des années.

Pendant que ses mains avaient tricoté avec loyauté, d'autres Mains avaient guidé son fils à bon port. À l'intérieur du col du chandail, il y avait de l'argent pour un timbre… et une note qu'elle avait écrite à l'intention d'un garçon envoyé outremer.

– *Becky Alexander*

Commentaire

Des doigts attentionnés répandent leur chaleur par-delà les froids océans et les lointains continents pour atteindre ceux qui ont besoin de se rappeler la douceur du foyer.

*N*igel Etherington, de Wundowie, en Australie, roulait sur une autoroute, un soir, lorsqu'il aperçut un kangourou blessé, gisant immobile au milieu la chaussée. L'animal, une de ces petites bêtes de la famille des wallabies, avait apparemment été heurté par une voiture qui avait pris la fuite. Ému à la vue de la malheureuse créature, un kangourou mâle d'un peu moins de un mètre de long, Nigel, qui adorait les animaux, s'arrêta pour l'examiner. S'apercevant que l'animal était toujours vivant, il le prit dans ses bras et le coucha dans sa voiture. Il se rendit ensuite à la ferme où il habitait et prit soin de la bête du mieux qu'il put.

« Le lendemain matin, il avait l'air d'aller un peu mieux, mais il était toujours sonné, se souvient Nigel. Ce soir-là, je l'ai installé dans la baignoire, et j'ai laissé la porte de la salle de bain entrouverte avant d'aller dormir. »

Nigel, qui avait le sommeil profond, fut brusquement réveillé vers 7 h par un tapage infernal. Engourdi de sommeil, il se dressa sur son séant et fut aussitôt saisi d'un accès de toux et d'étouffements. De plus, il ne voyait rien, ce qu'il ne tarda pas à s'expliquer : une épaisse fumée avait envahi la pièce.

« Au feu ! Tout le monde dehors ! », s'écria Nigel en se précipitant dans le corridor afin de réveiller l'invité qu'il hébergeait alors chez lui.

Les deux hommes coururent vers la sortie. Là, Nigel vit quelque chose d'extraordinaire. Le kangourou se tenait juste devant la porte, martelant furieusement le plancher de bois avec sa lourde queue et frappant désespérément la porte avec ses pattes de devant.

« À ce moment-là, j'ai su qui m'avait tiré du sommeil – et sauvé la vie ! dit Nigel. Je soulevai l'animal d'un bras, ouvris la porte et respirai enfin l'air du dehors à pleins poumons. »

Trente-six heures après que Nigel Etherington eut sauvé la vie du kangourou, celui-ci lui avait à son tour permis d'échapper à la mort.

« Le kangourou l'a empêché de brûler vif, cela ne fait aucun doute », affirme Glenn Keeler, porte-parole du service des incendies de Wundowie.

En Amérique, c'est le chien qui est le meilleur ami de l'homme, mais en Australie, c'est peut-être bien… le kangourou.

$\mathscr{A}$ l'époque où j'étais étudiante à l'école de travail social, une tâche assignée par un de mes professeurs changea ma vie. Ce professeur nous demanda de rédiger un rapport de quinze pages portant sur un cas. Il précisa que l'analyse devait être très détaillée. Déjà, le simple fait de penser à ce travail m'angoissait. Mais la dernière exigence du professeur eut l'effet d'une bombe : « Vous devez faire des photocopies de votre travail et en remettre une à chaque étudiant de la classe. » Mon sang ne fit qu'un tour.

J'avais déjà à mon actif un grand nombre de travaux scolaires, mais ils n'avaient été lus que par le professeur, jamais par mes pairs. En fait, j'avais toujours douté de mes talents de rédactrice, et la remise d'un travail me mettait chaque fois dans un état proche de la panique. Mais cette fois-ci, c'en était trop. Tout le monde allait pouvoir lire ce que j'avais rédigé.

À partir de ce moment-là, chaque fois que je m'installais pour travailler, mon sentiment d'insécurité prenait le dessus et mes doigts se figeaient. J'ignorais complètement comment surmonter cette impasse. C'est alors qu'une idée germa dans mon esprit : « Je vais faire appel à un réviseur ! » Puis mes doutes revinrent. « Mais où diable vais-je dénicher cette personne ? Et comment pourrai-je la rémunérer ? » À court de réponses, je m'empressai de chasser cette pensée et tentai de me remettre au travail. Mais encore une fois, ce fut en vain. Je reconsidérai donc la possibilité de consulter un réviseur et fus surprise de m'en trouver réconfortée.

Peu de temps après, alors que j'effectuais des recherches dans le cadre du fameux travail à la gigantesque bibliothèque de la Cinquième Avenue, à Manhattan, un aspect du cas dont je traitais se mit à me donner beaucoup de fil à retordre. Je téléphonai donc sur place à une étudiante qui était dans le même cours que moi pour lui demander de l'aide. Après avoir énuméré les points que j'avais décidé d'aborder, je lui expliquai comment je comptais formuler mes idées. Malheureusement, ma collègue se révéla incapable de m'aider à résoudre mon problème. Je la remerciai donc et raccrochai. C'est à ce moment-là qu'une petite femme d'un certain âge, qui se tenait près du téléphone, me regarda et me dit, d'un ton qui faisait autorité : « Vous abordez le problème à partir du mauvais angle.

– Pardon ? lui demandai-je, perplexe et quelque peu agacée. Vous avez écouté ma conversation ?

– Cela n'a pas d'importance, répondit-elle. Votre approche n'est de toute évidence pas la bonne. »

J'ignorais si je devais être amusée ou céder à la curiosité. « Comment croyez-vous que je devrais aborder la question ? »

Elle me prodigua alors l'une des meilleures leçons d'écriture qu'il m'ait été donné d'entendre. Je pus constater qu'elle savait parfaitement comment je devais procéder pour rédiger mon travail.

« Où avez-vous appris à si bien écrire ? lui demandai-je.

– C'est mon travail. Je suis réviseure. »

Elle me dit qu'elle s'appelait Henrietta Yusem et qu'elle travaillait pour Harcourt, une importante maison d'édition de l'époque. Je ne pouvais croire que la chance me souriait à ce point. Quelques heures plus tôt, j'avais prié pour rencontrer un réviseur et je me trouvais soudain face à face avec une femme généreuse et hautement compétente, qui ne demandait qu'à me faire bénéficier de ce dont j'avais le plus besoin – sa grande expertise en matière d'écriture. Toujours debout à côté du téléphone public de la bibliothèque, Henrietta m'expliqua précisément comment je devais aborder mon sujet.

« Maintenant, au boulot ! », me gronda-t-elle d'un ton farceur, comme si elle me connaissait depuis toujours.

« Pourrais-je vous rencontrer de nouveau pour que vous lisiez mon travail et le corrigiez ? », lui demandai-je, espérant qu'elle accepte, contre toute attente.

« Bien sûr », répondit-elle en souriant.

Après avoir convenu du lieu et du moment de notre prochaine rencontre, nous nous quittâmes. Voilà donc comment a commencé mon amitié magique avec Henrietta.

À cette époque, je vivais dans le Upper West Side, et Henrietta demeurait à quelques rues de chez moi. Fidèle à sa promesse, elle révisa mon travail. Pour toute rémunération, elle m'avait simplement demandé de m'engager à écrire le meilleur texte possible. Le jour de notre deuxième rencontre, je lui remis mon rapport de quinze pages, non sans nervosité. Je m'installai face à elle afin d'observer l'expression de son visage pendant qu'elle lisait. Lorsqu'elle termina enfin, je retins ma respiration, souhaitant soudain ne jamais lui avoir remis ce texte.

« Si c'était moi qui devais vous noter, je vous accorderais un A+. »

– Pardon ? m'exclamai-je. Vous êtes vraiment sincère ?

– Bien sûr que je le suis, insista-t-elle. C'est excellent. »

Une vague de fierté me traversa alors le corps comme un courant électrique. Je me dis que si Henrietta pouvait croire en moi, alors je le pouvais aussi.

À partir de ce point tournant dans ma vie, la rédaction de mes travaux scolaires cessa d'être une épreuve. J'acquis de l'assurance grâce à une rencontre magique avec une étrangère au grand cœur, qui cessa dès lors d'être une étrangère. En effet, nous sommes rapidement devenues des amies, et Henrietta insista pour que nous restions en contact par voie épistolaire. Ses lettres étaient toujours pleines de sagesse, et j'appréciais ses conseils et son soutien indéfectible. Parfois, elle m'envoyait des photographies et de la poésie, toujours avec beaucoup d'affection.

À une époque où la technologie est omniprésente, où on ne jure que par les répondeurs téléphoniques, les télécopieurs, le courrier électronique et autres moyens de communication, j'avais trouvé un moyen de m'accorder un répit, loin du tumulte ambiant. J'avais toujours hâte de recevoir les lettres écrites à la main de ma chère amie, qui habitait à quelques rues de chez moi. Je conservais chacune de ses missives comme un trésor, sachant qu'un jour ce modeste plaisir allait devoir prendre fin.

Henrietta passa la dernière année de sa vie dans une maison de retraite. Sa santé s'étant détériorée, elle me demanda de ne pas lui rendre visite. Elle désirait toutefois que nous continuions à nous écrire. Pour ne pas déroger à notre tradition, Sy, le frère d'Henrietta, m'écrivait lui aussi. Dans une de ses lettres, il m'informa que chaque fois qu'il rendait visite à sa sœur, il lui lisait des passages de mon premier livre, *Les Petits Miracles*, et qu'elle en tirait un plaisir immense.

Henrietta fut ma première réviseure, envoyée vers moi de l'au-delà. Elle me fit un cadeau inestimable – la certitude que je pouvais m'exprimer au moyen de l'écriture. Elle m'a appris qu'il était possible de ralentir notre course effrénée pour adopter un rythme de vie plus humain, et que, dans une ville où d'innombrables visages anonymes défilent devant nous, nous pouvions, en y mettant l'effort, nouer des rapports significatifs avec autrui.

Henrietta est décédée le 12 novembre 1998. Elle me manque beaucoup.

Henrietta, je te rends hommage.

– Judith Leventhal

*L'*été 1959 était le dixième de Marsha Goldstein, et le premier qu'elle passait au camp Cejwin. Surexcitée, elle confia à Naomi, sa monitrice : « Ma famille va venir me rendre visite ! J'espère que mon oncle Stan va venir aussi. » Naomi répondit à cette confidence en apparence banale par un sourire poli.

Le jour des visites venu, un beau grand jeune homme du nom de Stan Altschul pénétra dans l'enceinte du camp Cejwin, à Glen Hale, et se dirigea vers la petite cabane où logeait Marsha. Naomi comprit qu'il s'agissait probablement du fameux « Oncle » dont Marsha lui avait parlé plus tôt cette semaine-là. Elle fut frappée par l'extrême beauté du visiteur.

Il se tenait silencieux devant Naomi, comme s'il attendait qu'elle entame la conversation. Puis il sortit de sa timide réserve, et se révéla un homme à l'intelligence et au charme raffinés. Naomi se dit qu'il était étrange que Stan, âgé de 23 ans, ait parcouru une si grande distance pour venir visiter sa petite nièce de dix ans à la colonie de vacances. Mais en observant sa grande douceur, elle comprit qu'il était également un être chaleureux et plein de sollicitude.

À la suite de cette rencontre, Naomi ne cessa plus de penser à Stan. Toutefois, elle ne savait trop comment aborder le sujet avec sa jeune campeuse. Mais une chose était certaine : dès son retour à la maison, elle comptait téléphoner à Stan afin de prendre rendez-vous avec lui.

Elle n'eut pas besoin d'attendre très longtemps, car la mère de Marsha brisa d'elle-même la glace. « Mon frère est très timide, dit-elle. Que penseriez-vous si je lui demandais de vous téléphoner ?

– Mais bien sûr ! » s'écria Naomi, incapable de dissimuler son enthousiasme.

Avec les derniers jours d'août vint la fin de la colonie de vacances. Moniteurs et campeurs échangèrent des adieux larmoyants, en se promettant de demeurer en contact. Naomi et Marsha s'étreignirent, un souhait secret niché au fond du cœur.

Durant tout le trajet qui la ramenait chez elle, en autobus, Naomi pensa avec bonheur à ses parents, se faisant une joie à l'idée de les revoir bientôt. Son retour à la maison combla toutes ses attentes, et tout alla pour le mieux, du moins pendant une journée.

Le matin suivant, le père de Naomi se rendit au travail, tandis que celle-ci demeurait à la maison à bavarder avec sa mère, un plaisir que les deux femmes n'avaient pu s'accorder depuis huit semaines. Plus tard ce jour-là, alors que Naomi attendait l'arrivée de son frère Stephen, la sonnette de la porte d'entrée retentit et elle se précipita pour ouvrir. Un policier se tenait sur le seuil.

« Philip Cohen est-il bien votre père ? demanda-t-il.

– Oui, répondit-elle.

– Travaille-t-il à Manhattan ?

– Oui, dit-elle, de plus en plus confuse.

– Je suis désolé, mais j'ai une mauvaise nouvelle à vous annoncer. Votre père vient de mourir d'une crise cardiaque. »

Assommée par le choc, Naomi demeura pétrifiée.

Puis elle s'assit et se mit à pleurer, la tête baissée. La sonnerie du téléphone la détourna momentanément de sa douleur.

« Naomi ? » La voix lui était familière. C'était Stan. Elle arriva à rassembler suffisamment de forces pour répondre.

Elle lui dit, à travers ses larmes : « C'est mon père. Je viens de perdre mon père ! »

Au bout d'un douloureux silence, Stan se mit à parler. Naomi avait de la difficulté à discerner ce qu'il disait, mais elle se sentit réconfortée par la chaleureuse bonté qui émanait de sa voix.

Durant toute la semaine qui suivit, de nombreuses personnes vinrent offrir leurs condoléances à la famille. Parmi elles se trouvait Stan. Son extraordinaire sensibilité eut un profond effet sur Naomi. Même s'il la connaissait à peine, il avait trouvé le temps de venir présenter ses respects.

Pendant de longs mois, Stan aida Naomi à se consoler de sa grande perte. Au fil du temps, les deux jeunes gens finirent par tomber amoureux, et ils se marièrent. Naomi repensa à ce jour fatidique d'août, lorsqu'elle avait perdu son père adoré – l'homme qu'elle avait aimé depuis le début de sa vie. Quelques minutes après

qu'elle eut appris la terrible nouvelle, elle reçut un coup de téléphone de l'homme qui allait cheminer à ses côtés jusqu'à la fin de
ses jours.

$\mathcal{L}$e soir du 28 février 1996, Shafeeq Murrell sortit précipitamment de l'appartement où il habitait, dans la partie sud de Philadelphie, afin de rencontrer le groupe d'amis avec qui il devait jouer au basket-ball. Âgé de 15 ans, Shafeeq possédait un sourire éclatant et une très grande maturité pour son âge. Populaire auprès de ses amis, apprécié de ses professeurs, dévoué envers sa famille, il était le genre de fils dont rêvent toutes les mères. En chemin vers sa partie de basket-ball, il rencontra des copains et s'arrêta pour bavarder un peu.

Soudain, des coups de feu se mirent à pleuvoir dans tous les sens : deux bandes rivales se disputaient un territoire. La terrible fusillade fut par la suite décrite comme étant « pire que celles du Far West ». Piégé au milieu des belligérants, Shafeeq Murrell fut abattu.

Éplorés, les membres de sa famille accoururent à l'hôpital pour enfants, où il avait été transporté. Ils pleurèrent, prièrent et s'étreignirent très fort au chevet du jeune homme dont la vie était maintenue artificiellement. Stacey, sa sœur aînée, voulait désespérément croire que Shafeeq n'allait pas tarder à se réveiller et à les embrasser tous. Mais, comme elle était infirmière, elle savait bien que cela était impossible. Elle s'arma de courage pour aborder avec ses parents la question du don des organes de Shafeeq.

À l'hôpital Temple de Philadelphie, Larry Montgomery, un dentiste âgé de trente-neuf ans et père de trois enfants, reposait dans l'attente d'un cœur, un tube intraveineux dans le bras. L'année qui venait de s'écouler avait été un cauchemar pour Larry. Toute sa vie, il avait joui d'une excellente forme physique, en plus d'être doté de suffisamment d'endurance pour participer à des compétitions de course de fond. Mais en mars 1995, alors qu'il faisait du jogging près de sa résidence de banlieue, il dut s'arrêter au pied d'une pente, incapable de la gravir. Ce que les radiographies révélèrent par la suite fut terrible : Larry souffrait d'une grave insuffisance cardiaque.

Larry passa les mois qui suivirent dans une espèce de brouillard où se succédèrent une série d'urgences médicales, son état se détériorant rapidement. Au mois de novembre, il dut être admis à l'hôpital où, relié à une machine, il ne pouvait faire qu'une chose : attendre un cœur. Au bout de trois mois, les médecins n'avaient pas encore pu obtenir le précieux organe. Larry semblait donc condamné à mourir, en laissant derrière lui ses trois jeunes fils.

Mais, le 2 mars 1996, il fut réveillé par une bonne nouvelle. La chance lui souriait enfin et, à trois heures ce matin-là, Larry Montgomery reçut un nouveau cœur.

Sa convalescence fut extrêmement pénible. Son organisme était en état de choc, tentant de s'adapter au nouvel organe. Larry demeura inconscient pendant des jours.

Il ne savait pas que sa famille veillait à son chevet. Il ne vit pas le cortège de médecins et d'infirmières qui lui rendaient visite, attentifs à ses moindres besoins. Il n'eut pas l'occasion de se demander à qui avait appartenu le cœur qui le maintenait en vie.

Mais son frère Robert, lui, connaissait la réponse. Il existe un principe fondamental en matière de don d'organes : le donneur doit demeurer anonyme. En effet, la plupart des médecins sont d'avis que la connaissance de l'identité du donneur peut perturber la personne qui a subi une transplantation et même comporter un danger pour celle-ci. Mais grâce à un étrange concours de circonstances, Robert se mit à se douter d'où provenait le cœur qui battait maintenant dans la poitrine de son frère.

Par un singulier hasard, un journaliste muni d'une caméra vidéo tournait un documentaire sur les transplantations et avait choisi de suivre le cas de Larry. Voyant l'angoisse qu'éprouvait la famille en attendant le réveil du dentiste, il prit Robert à part.

« Ne vous en faites pas, dit le journaliste. Votre frère a hérité d'un cœur solide, très jeune. Le donneur n'avait que 15 ans. »

Quinze ans… Robert retint ce renseignement, qui prit tout son sens plus tard ce jour-là. En effet, il lut dans le journal un article relatant la mort violente d'un jeune garçon de quinze ans à l'avenir prometteur qui vivait au sud de Philadelphie. Pour lui, le lien était évident.

Lorsque Larry reprit enfin connaissance, Robert lui remit une enveloppe. « Un jour, lorsque tu te sentiras suffisamment d'attaque, tu pourras lire ça », dit-il doucement à son frère. L'enveloppe contenait une série d'articles sur Shafeeq Murrell.

Larry se rétablit lentement. Il rentra dans sa maison de banlieue à deux étages de style colonial et reprit des forces. Il ne pouvait plus exercer son métier de dentiste, car le médicament qu'il devait prendre provoquait un tremblement des mains. Il travailla donc à titre de professeur à l'école de médecine dentaire de l'Université de la Pennsylvanie. Ainsi, il recommençait à vivre petit à petit.

Il pensait souvent à la famille de Shafeeq Murrell. Comblé de bonheur grâce à ses trois jeunes fils, il remerciait Dieu d'être encore en vie pour les voir grandir. Il songeait aux Murrell, qui avaient perdu leur fils tant aimé. Le battement régulier qui résonnait doucement dans sa poitrine lui rappelait constamment leur douleur. Parfois, il éprouvait une formidable envie d'aller les trouver et de les remercier. Il voulait leur dire à quel point il se sentait honoré qu'au milieu de la pire tragédie de leur vie ils aient choisi de lui faire ce don de vie.

Mais l'idée que son bonheur soit lié à leur détresse le faisait hésiter à communiquer avec eux. De plus, il avait fort à faire : en plus de travailler et de s'occuper de sa famille, il devait constamment prendre soin de sa santé. Deux années passèrent, et Larry n'avait toujours pas rencontré les Murrell.

Un mardi matin de l'année 1998, Larry se gara dans le stationnement de l'Université et, comme d'habitude, échangea quelques blagues avec le préposé au sujet de sa voiture. Il conduisait une vieille Cadillac, pour laquelle Mason Burnett, le préposé, ne cachait pas son admiration.

« Dr Montgomery, si jamais vous décidez de vendre cette voiture, souvenez-vous que je suis votre homme », lui disait-il toujours.

« Eh bien, c'est aujourd'hui ton jour de chance, dit Larry. Je viens d'acheter une nouvelle voiture. Fais-moi une offre et la voiture est à toi. »

Les deux hommes s'entendirent sur une somme et prirent rendez-vous pour le jeudi suivant, à l'heure du déjeuner. Lorsque Larry se rendit au jour et à l'heure convenus dans le stationnement, Mason proposa d'aller chez lui chercher l'argent. Larry s'installa du côté du passager et Mason prit le volant.

Larry éprouva un sentiment d'angoisse croissant lorsqu'il se rendit compte que Mason passait par le sud de Philadelphie. La morne pluie qui tombait ne fit qu'aggraver son malaise. Ce n'était pas son genre de quartier, et jamais il n'aurait voulu emprunter ces rues. Quelque part non loin d'où il se trouvait, le garçon dont le cœur palpitait en lui avait vécu et perdu la vie.

Lorsque Mason croisa la rue Wharton, Larry sentit un frisson le parcourir. « Mason, tu sais que j'ai eu une transplantation cardiaque, n'est-ce pas ? dit-il. Eh bien, mon donneur habitait sur la rue que l'on vient de croiser.

– Comment est-il mort ? demanda Mason.

– Une fusillade a éclaté entre des revendeurs de drogue, et il a été pris dans le feu croisé. »

Quelle ne fut pas la surprise de Larry lorsque Mason éclata en sanglots.

« Shafeeq ! Shafeeq ! s'exclama-t-il en pleurant. J'étais à son chevet aux soins intensifs. J'ai été à ses funérailles. Il travaillait tous les jours avec mon épouse. »

Il s'arrêta au bord de la route, trop bouleversé pour continuer. « Pourriez-vous me rendre service ? demanda-t-il au bout d'un moment. Téléphonez à ma femme, Ingrid, et racontez-lui cette histoire. »

Sous une pluie torrentielle, Larry se précipita vers un téléphone public. « Ingrid ? Ici Larry Montgomery, celui qui vend sa voiture à votre mari.

– Enchantée, répondit Ingrid d'un ton aimable.

– Oui. Et je crois que j'ai le cœur de Shafeeq Murrell.

– Oh mon Dieu ! s'écria Ingrid. J'ai justement sa photo devant moi ! Elle est juste là, sur mon bureau ! C'était le garçon le plus gentil que j'aie jamais connu. »

Elle se mit alors à lui parler de Shafeeq. Il avait été affecté pour l'été à titre de stagiaire à l'agence municipale d'habitation où elle travaillait. À la fin de son stage, il avait fait un si bon travail que l'agence lui avait offert un poste permanent, ce qui était extrêmement rare.

Tous les employés du bureau adoraient Shafeeq. Il était poli et dévoué, et la sécurité de ses collègues lui tenait hautement à cœur. Chaque soir après le travail, il accompagnait Ingrid jusqu'au métro pour s'assurer que rien ne lui arriverait. À une exception près : ce jour fatidique de février où il avait quitté le travail plus tôt pour pouvoir passer prendre son sac de sport à la maison avant d'aller jouer au basket-ball.

« Je vais vous dire quelque chose, M. Montgomery, dit Ingrid en sanglotant. Vous avez dans la poitrine un cœur bon et charitable. »

Larry repensa pendant plusieurs jours à l'incroyable coïncidence qu'il venait de vivre. Dentiste de banlieue, il ne savait rien des quartiers pauvres de Philadelphie, qui lui étaient aussi étrangers que l'Australie. Cependant, presque par magie, il avait atterri dans le quartier de Shafeeq et il avait noué un lien direct avec la vie du jeune homme. Tout cela était si étrange, si fantastique et si entièrement inattendu.

Shafeeq, qui jusque-là avait été pour Larry une abstraction, était devenu bien réel. Larry décrocha le combiné, prêt à communiquer avec la famille du jeune homme.

La rencontre eut lieu dans les bureaux du Delaware Valley Transplant Program, l'organisme qui s'était occupé du don du cœur de Shafeeq.

Larry emmena Sheree, son épouse, et ses trois fils, âgés de treize, onze et neuf ans. Ils étaient tous réunis dans une salle mise spécialement à leur disposition lorsque la porte s'ouvrit et qu'entra Gail, la mère de Shafeeq, et Clarence, son père. Stacey, la sœur aînée du jeune disparu, suivait aux côtés de sa grand-mère, sa tante et ses cousins. Le frère et l'autre sœur de Shafeeq, plus jeunes, n'avaient pu se résoudre à rencontrer l'homme qui possédait le cœur de leur frère. Ils restèrent donc à la maison.

La rencontre fut chargée d'émotion. Gail regarda Larry, sa femme et ses enfants, et ses yeux s'emplirent de larmes. « Comme vous avez une belle famille, dit-elle à Larry. Une chose est certaine : le cœur n'a pas de couleur. »

La femme de Larry, Sheree, tenta de traduire en mots les sentiments intenses qui l'habitaient. Elle remercia Gail et Clarence du fond du cœur pour ce don qu'ils avaient fait à Larry. Elle leur confia à quel point elle était reconnaissante pour chaque jour et chaque heure de vie accordés à son époux et à quel point ses enfants étaient heureux d'avoir encore leur père. Elle leur dit également que sa famille avait été profondément peinée de la tragédie qui les avait frappés.

Gail et Clarence dirent à quel point leur fils était un jeune homme bien. Remplis de fierté, ils racontèrent que Shafeeq avait l'intention d'aider sa communauté lorsqu'il atteindrait l'âge adulte. Ils montrèrent également aux Montgomery le T-shirt qu'ils avaient créé en hommage à leur fils. Il était orné d'une photo de Shafeeq, sous laquelle on pouvait lire l'inscription suivante : *« Ceux qu'on aime ne nous quittent jamais. »*

Stacey, la sœur de Shafeeq, demanda à parler à Larry en particulier. Ils sortirent donc dans le corridor. Stacey appuya doucement sa tête sur la poitrine de Larry et écouta en silence les battements de son cœur.

Puis elle dit : « Je n'ai pas encore été capable d'aller au cimetière. Peut-être que maintenant je pourrai. »

Après cette première rencontre, les Montgomery et les Murrell se virent fréquemment. Ils avaient des rapports amicaux, mais ils étaient en quelque sorte davantage que des amis. Leurs relations étaient chaleureuses, pleines d'affection et empreintes d'un profond respect mutuel. Larry en vint à considérer les Murrell comme une sorte de prolongement de sa propre famille.

En janvier 1999, Gail téléphona à Larry pour lui annoncer une grande nouvelle : le procès des présumés assassins de Shafeeq était sur le point de commencer. Larry n'eut pas une seconde d'hésitation. Il savait où était sa place.

Un vendredi matin neigeux, Larry Montgomery et Gail Murrell, assis côte à côte dans une salle de tribunal de Philadelphie, observaient les deux jeunes hommes qu'on y faisait pénétrer. Le moment était si intense que Larry se sentit défaillir. Tout semblait converger dans cette salle… Ces hommes avaient appuyé sur la gâchette d'un fusil, et à la suite de ce simple geste, avaient détruit la vie de Shafeeq et sauvé la sienne. Son cœur – celui de Shafeeq – battait à tout rompre.

Durant tout le procès, Larry demeura aux côtés des Murrell. Lorsque le coroner fut appelé à la barre des témoins et décrivit la blessure qui fut fatale à Shafeeq, Larry posa sa main sur celle de Gail. Lorsque l'officier ajouta que le père et la mère de Shafeeq avaient eu la générosité de faire don des organes de leur fils, Larry et les Murrell échangèrent un sourire rempli de larmes. Lorsque le procureur fit tourner une bande vidéo où on voyait les accusés avouer leur crime, Larry demeura calme, assis aux côtés des Murrell, et tenta de leur procurer force et soutien.

Ni Larry ni les Murrell ne sautèrent de joie en entendant prononcer le verdict de culpabilité et la sentence de prison à vie. Il y avait trop de tristesse dans les yeux des membres de la famille des meurtriers pour avoir envie de triompher. Au lieu de cela, Larry fut envahi d'un terrible sentiment de culpabilité.

« J'ai regardé autour de moi dans la salle, et je n'ai vu que tragédie, dit-il aux Murrell. Votre famille, celle de ces garçons qui vont passer le reste de leur jours en prison. Je suis le seul pour qui tout cela a eu des conséquences favorables.

– Ne dites pas cela, répondit Stacey Murrell. Nous sommes vraiment heureux que vous soyez vivant. »

La réponse de Stacey, caractéristique de la générosité de la famille Murrell, alla droit au cœur de Larry. Une fois encore, pour la centième fois, il songea à l'incroyable coïncidence qui les avait fait se rencontrer. S'il n'avait pas vendu sa voiture à leur ami, il n'aurait probablement jamais mis les pieds dans leur quartier et ne les aurait jamais connus. C'est cette coïncidence qui l'amena à croire qu'il faisait partie d'une sorte de plan mystérieux – un plan qui exigeait qu'il rencontre les Murrell.

Mais quel était ce plan ? Peut-être comprit-il davantage au lendemain du procès. Il ne pourrait jamais rembourser aux Murrell la dette qu'il avait envers eux. Mais peut-être, je dis bien peut-être, pourrait-il leur procurer un peu de réconfort. Il était plus que leur ami. Il était l'héritage vivant de leur amour. Lorsqu'il était près d'eux, Shafeeq l'était lui aussi. Et peut-être, avec la grâce de Dieu, cette idée pourrait-elle leur apporter un peu de consolation.

« Vous savez, Larry, dit un jour Gail Murrell, nous avons fait don de tous les organes de Shafeeq. Personne d'autre n'a jamais essayé de communiquer avec nous. Mais ça ne fait rien. Parce que nous espérions que la personne qui essaierait de nous trouver serait celle qui aurait reçu le cœur de notre fils. »

– Peggy Sarlin

Commentaire

Après le procès, Larry se rendit chez les Murrell pour leur remettre un présent. C'était un superbe coffre à bijoux. Un cœur en or trônait sur le couvercle, où Larry avait gravé l'inscription suivante : *Ceux qu'on aime ne nous quittent jamais.*

*M*a belle-mère de 88 ans, qui mesure à peine 1 m 55 et pèse 37 kg, avait l'habitude de traîner avec elle un vieux sac de supermarché partout où nous allions, en plus de son gros sac à main. À l'approche de son anniversaire, je décidai de lui offrir un petit sac fourre-tout, qui lui serait selon moi plus utile pour transporter ses innombrables possessions. Le temps passa à une vitesse folle et je me retrouvai, le jour même de son anniversaire, à courir d'un magasin à l'autre, à la recherche de ce que je croyais être un cadeau facile à trouver. À mon grand désespoir, je découvris que les petits sacs fourre-tout étaient pratiquement inexistants !

Mon dernier arrêt était une librairie de mon quartier. Comme j'avais un rendez-vous, je savais que si je ne trouvais pas de sac à cet endroit, je devrais abandonner mon projet. Après avoir exploré la boutique sans trouver l'objet recherché, je me dirigeais vers la sortie lorsqu'un livre attira mon attention. Il était intitulé *Les Petits Miracles*. Je pris l'ouvrage et fis la queue derrière la caisse. Après avoir payé, quelle ne fut pas ma surprise de voir le caissier sortir un petit sac fourre-tout de derrière le comptoir en m'annonçant qu'il était offert gratuitement à l'achat du livre !

Et quel était le message qu'on pouvait lire sur le sac ?

« Je crois aux petits miracles. »

– *Kathleen Rosenau*

Autorisations

Nous désirons remercier ceux et celles qui nous ont donné la permission de reproduire des documents qui avaient déjà été publiés :

MILSHTEIN, Ester, « Kelev's Choice », dans GEIER, Arnold, *Heroes of the Holocaust*. Tous droits réservés, 1993, par Arnold Geier. Utilisé avec la permission de G.P. Putnam's Sons, une division de Penguin Putnam Inc.

PHEIFF, Margo, « Mermaid Miracle », juillet 1995. Reproduit avec la permission de *Reader's Digest*. Tous droits réservés, 1995, par The Reader's Digest Assn., Inc.

Extrait de *Coincidences : Touched by a Miracle*. Tous droits réservés, 1998, par Antoinette Bosco. Reproduit avec la permission de Twenty-Third Publications, Mystic, Connecticut.

Extrait de *There's No Such Thing as Coincidence*. Tous droits réservés, 1996, par Jan C. Wolterman. Reproduit avec la permission de Universal Publications, Cincinnati, Ohio.

Extraits de *Angels, Miracles, and Messages — A Guideposts Book*, des récits de Becky Alexander, Shirley Wilcox et Cheryl Deep. Tous droits réservés, 1996, par Thomas Nelson Publishers, Nashville, Tennessee.

MORGAN, Arthur, « His Mysterious Ways », mai 1997. Reproduit avec la permission du magazine *Guideposts*. Tous droits réservés, 1997, par Guideposts, Carmel, New York.

Remerciements

Nous désirons avant tout VOUS remercier, vous nos lecteurs bien-aimés, dont l'enthousiasme débordant est immensément apprécié. C'est grâce à votre ferveur et à votre intérêt – qui ont jusqu'ici donné lieu à des ventes de 800 000 exemplaires – que nous avons pu produire un troisième livre et que, nous l'espérons, nous pourrons en publier d'autres dans un avenir proche. Nous avons été profondément émues par vos lettres généreuses et sincères, et il nous fait chaud au cœur de savoir que *Les Petits Miracles* vous a apporté joie et réconfort. Vous, nos lecteurs, comptez parmi les artisans de cette troisième partie, et nous vous félicitons de votre ouverture d'esprit et de votre dynamisme contagieux. Merci.

Nous tenons également à exprimer notre sincère gratitude aux gens de Adams Media Corporation, qui ont fait preuve de beaucoup de confiance et de dévouement dans la publication de notre série de livres. Nous sommes heureuses d'avoir le privilège de collaborer avec des personnes si uniques et si talentueuses. Merci à l'extraordinaire Bob Adams, qui avait tant à cœur le succès de ce modeste livre qu'il a mis en œuvre des trésors de créativité pour en assurer le lancement. Son enthousiasme s'est accru après qu'il eut vécu son propre « petit miracle », le soir même où il a terminé la lecture d'épreuves. Merci également à Wayne Jackson, directeur du marketing innovateur et dynamique, dont le zèle contagieux a suscité un enthousiasme sans bornes chez les libraires. Nous souhaitons aussi dire notre gratitude à toutes les femmes formidables du service de la publicité – Carrie, Rachel et Michelle. Carrie Lewis, directrice de la publicité, mérite un bravo tout spécial pour son travail exceptionnel. Merci à Linda Spencer, éditrice générale à la stupéfiante efficacité.

Nous avons eu la chance de bénéficier des services de la plus merveilleuse éditrice, Pamela Liflander, dont l'expertise, la sagesse et l'intelligence ont grandement enrichi notre expérience d'écriture. Nous en sommes arrivées à la conclusion que Pam, dont la patience et la bonne humeur ne se sont jamais démenties au cours de ces trois années, est pratiquement une sainte, et nous avons été heureuses de pouvoir profiter des innombrables et précieuses vertus de cet être d'exception. Merci, Pam ! Nous tenons également à souligner l'extraordinaire travail de révision de Virginia Ruebens, qui a fait de la magie avec nos mots. Merci à toi, Virginia.

Au cours de cette année mémorable, nous avons eu le privilège de rencontrer un grand nombre de merveilleux libraires qui croyaient en notre projet et qui ont effectué un magnifique travail de vente. Nous vous remercions tous, vous qui êtes trop nombreux pour figurer dans ces pages, et nous applaudissons vos efforts. Il existe toutefois trois petits commerces indépendants qui méritent une mention spéciale. Aucune librairie n'a fait la promotion des *Petits Miracles* avec davantage de ferveur que Harnik's Happy House, à Brooklyn. Noreen Harnik et Terri Roca ainsi que leur dévoué personnel – Minnie, Frances et Rose – ont si bien soutenu l'ouvrage que celui-ci est devenu le meilleur vendeur de toute l'histoire de la librairie, qui existe depuis cinquante ans ! Nous leur serons éternellement reconnaissantes pour la générosité et la grandeur d'âme sans bornes dont elles ont fait preuve. Merci à tous les gens de Harnik's.

Nous tenons aussi à mentionner deux commerces très spéciaux –Eichlers, à Boro Park et Eichlers, à Flatbush – qui ont, eux aussi, apporté un soutien exceptionnel à nos livres. Ils ont des employés formidables, dont nous apprécions l'appui et l'enthousiasme. Merci à Moish Perl, Yossi Pearson, Cheski Blau et Meryl Scheller. Toute notre gratitude à deux membres du personnel –Aryeh Goldberger et Yitzi Rosenblum – pour leur travail remarquable et leur gentillesse. Ils ont vraiment pris des risques pour nous aider. Nous voulons également remercier Edna Krausz, de la galerie Inspiration, située à New Rochelle, dans l'État de New York.

Nous faisons toutes deux partie d'un groupe de femmes qui met l'accent sur l'importance de la spiritualité et de la créativité, et nous désirons en remercier les membres, des femmes très spéciales, pour leur soutien continu et pour la part qu'elles ont jouée dans notre réussite. Merci à Pesi, Etta, Ruchama, Miriam et Shulamis ! Nous espérons cheminer encore avec vous pendant de nombreuses années ! Nous tenons aussi à exprimer notre plus profonde et chaleureuse gratitude à Ruth Wolfert, qui nous a fait bénéficier de sa sagesse et de son intelligence.

Enfin, nous aimerions remercier notre agent, Richard Pine, pour ses conseils et son appui.

Yitta souhaite exprimer sa reconnaissance envers ses collègues de EMUNAH pour leur gracieux soutien, et pour avoir accepté de fermer les yeux sur ses nombreuses absences au cours de l'année qui vient de s'écouler, en raison de ses engagements liés à la tournée de promotion du livre et à l'écriture.

Lorsque j'étais une petite fille et que je commençais tout juste à écrire, Irene Klass, propriétaire et rédactrice en chef de *The Jewish Press*, a été ma grande complice et amie. Les encouragements qu'elle m'a prodigués alors que je n'en étais qu'à mes balbutiements dans le domaine de l'écriture ont joué un rôle fondamental dans ma vie, et je lui en suis à jamais redevable. Le flambeau est maintenant passé dans les mains de sa fille, Naomi Mauer, qui est devenue pour moi une personne très importante. Merci, Naomi, de ton amitié indéfectible et de ton soutien de tous les instants. Toute ma reconnaissance également à Sheila Abrams, pour la merveilleuse gentillesse dont elle a fait preuve pendant toutes ces années.

Les meilleurs moments de la vie sont ceux que l'on partage avec sa famille et ses amis. L'enthousiasme et le soutien de mes chers amis – Raizy Steg, Bella Friedman, Annette Grauman, Babshi Chanowitz, Sarah Laya Landau, Hindy Rosenberg et Fanny Mitchell – me sont très précieux. Anna Ashton, mon assistante toute dévouée, mérite des applaudissements à tout rompre pour l'aide inappréciable qu'elle m'a apportée à toutes les étapes de ma vie. Je t'aime, Anna !

Un merci particulier également à Ginny Duffy pour m'avoir tenu la main dans les moments où j'en avais le plus besoin. Dans les périodes difficiles, je savais que je pouvais compter sur ces deux mentors. Mes remerciements à Chris Santerra du *Synchronicity Times* pour avoir fait paraître mon appel de soumissions dans son site Web. Toute ma reconnaissance à Meir Fund, mon rabbin, mon conseiller et mon guide, qui accomplit des miracles tous les jours ! Merci également à la très brillante, talentueuse et généreuse Georgie, qui est toujours là, et que j'aime beaucoup.

Bill et Lili Cunningham, de nouveaux amis, ont acquis une grande importance dans ma vie au cours de l'année qui vient de s'écouler, et je chéris les immenses richesses qu'ils m'ont apportées. Non seulement Bill est-il un merveilleux ami, mais il est également un talentueux écrivain, et ses deux histoires apportent beaucoup au livre. Peggy Sarlin, que j'ai toujours adorée, est revenue dans ma vie et a rédigé une histoire pour *Les Petits Miracles*. Son talent est inestimable.

Ma famille – ma mère, Claire Halberstam, mon frère, Moishe Halberstam et ma sœur, Miriam Halberstam – ont toujours soutenu fidèlement mes projets, tout comme ma belle-famille, Leib et Sima Mandelbaum, Suri et Danny Dymshits, Chaim et Bayla Mandelbaum ainsi que Yeruchem et Chaya Winkler. Ma sœur Miriam ne cesse de chercher des histoires de « petits miracles » en feuilletant des tonnes de journaux, de revues et de livres et en regardant d'innombrables talk-shows télévisés. Plusieurs histoires se trouvent dans le présent livre grâce à ses efforts acharnés. Je ne l'en remercierai jamais assez.

Mes deux enfants – Yossi et Eli – ont participé joyeusement à cette aventure gratifiante et stimulante, et ont fait preuve de beaucoup d'indulgence face à mes manquements à mon rôle de mère. Ils m'ont gentiment pardonné mes faiblesses et mes absences au cours de cette période mouvementée.

Motty, mon mari, est celui – plus que quiconque – qui a contribué à l'épanouissement de ma créativité à l'âge adulte. (Mon père, dont je chéris la mémoire, était ma principale source d'inspiration lorsque j'étais enfant.) Au cours de nos 22 années de mariage, Motty a toujours insisté, avec sincérité et dévouement, pour que je laisse de côté les tâches ménagères afin de me consacrer à mon travail, et mon succès l'a toujours rempli d'autant de joie que s'il avait été le sien. Sa sagesse et ses bons conseils m'ont aidée à maintes occasions, et ses commentaires et remarques se sont toujours avérés essentiels. Par-dessus tout, le fait de vivre à ses côtés et de profiter de son brillant intellect et de sa façon originale de penser m'ont aidée à grandir. Et pour cela, je lui dois beaucoup.

– Yitta Halberstam

Je remercie Jules, mon cher mari, qui demeure mon compagnon dans tous les domaines de ma vie. Il m'a montré comment faire face à ce que je croyais être mes limites, afin de les affronter et de les dépasser. Je lui suis profondément reconnaissante pour son appui indéfectible.

Je voudrais également remercier mes deux petites filles, Arielle et Shira, qui me rappellent constamment ce que sont vraiment les « petits miracles ». Leur énergie rayonnante et contagieuse a nourri mon enthousiasme lors de l'écriture du présent livre.

Estee, ma sœur, mon amie et ma confidente, a été pour moi une bénédiction, depuis le jour où elle est venue au monde. Ma chère mère, Rose, de même que Hedy et Myer Feiler et leurs enfants, Isser et Malku Handler, Anne Leventhal, Emery ainsi que David et Shulamit Leventhal et leurs enfants m'ont tous témoigné amour et soutien.

Je tiens également à exprimer ma gratitude à Pesi Dinnerstein, mon phare de lumière. Sara Barris, Deena Edleman, Ruchama et Yisrael Feurerman ainsi que Eta Ansel, mes amis proches, ont dispensé leur enthousiasme sans compter. Elli Wohlgelernter est un ami cher qui a toujours été friand de coïncidences. Enfin, je voudrais remercier Jonathan et Ruchy Mark qui, avec leurs mots, nous ont fait voir la beauté de notre livre et qui, ensemble, ont été le catalyseur de bien des miracles.

Durant la tournée que nous avons effectuée pour le livre, j'ai rencontré de nombreuses personnes qui ont fait de ce travail une expérience stimulante et enrichissante. En particulier, j'aimerais dire merci à Elaine Stundell, Tony Gangi, Irene Polemis ainsi que leurs collègues respectifs chez Barnes and Nobles, pour leur courtoisie, leur générosité et leur enthousiasme.

Enfin, je tiens à remercier Yitta, coauteur du livre, ma sœur et chère amie. Yitta vit selon les principes dont le livre fait état. La sincère empathie qu'elle éprouve pour autrui est inscrite dans la fibre de son écriture et se trouve au cœur de la magie du livre. Lorsque nous avons signé notre premier contrat de publication, un homme a dit : « Vous pouvez dire adieu à votre amitié. » Eh bien, il avait tort. Grâce à une partenaire comme Yitta, j'apprends tous les jours de nouvelles choses sur le vrai sens de l'amour et de l'amitié... un cadeau inestimable que m'a procuré *Les Petits Miracles*.

– *Judith Leventhal*

Chez le même éditeur :

Les petits Miracles
Les petits Miracles II

Deux collections de récits concernant des coïncidences remarquables qui ont changé la vie de gens ordinaires. Des histoires touchantes et inspirantes qui nous portent à croire que les coïncidences sont plus que le seul fait du hasard et qu'elles ne sont rien de moins que des messages divins.

Ces animaux Miracles

Une collection extraordinaire de cinquante récits dans lesquels des animaux ordinaires accomplissent de véritables exploits : sauvetages audacieux, actes d'héroïsme remarquables et toutes sortes d'interventions bienveillantes.